CW00819600

iEdutainments Limited
The Old Post House
Radford Road
Flyford Flavell
Worcestershire
WR7 4DL
England

Company Number: 7441490
First Edition: iEdutainments Ltd 2014

English Version

Illustrated by Andy Garnica

LEARNBOTS

LEARN 101 ARABIC VERBS

IN 1 DAY

with the LearnBots

by Rory Ryder

Illustrations Andy Garnica

Published by:

iEdutainments Ltd.

Introduction

Memory

When learning a language, we often have problems remembering the (key) verbs; it does not mean we have totally forgotten them. It just means that we can't recall them at that particular moment. So this book has been carefully designed to help you recall the (key) verbs and their conjugations instantly.

The Research

Research has shown that one of the most effective ways to remember something is by association. Therefore we have hidden the verb (keyword) into each illustration to act as a retrieval cue that will then stimulate your long-term memory. This method has proved 7 times more effective than just passively reading and responding to a list of verbs.

Beautiful Illustrations

The LearnBot illustrations have their own mini story, an approach beyond conventional verb books. To make the most of this book, spend time with each picture and become familiar with everything that is happening. The Pictures involve the characters, Verbito, Verbita, Cyberdog and the BeeBots, with hidden clues that give more meaning to each picture. Some pictures are more challenging than others, adding to the fun but, more importantly, aiding the memory process.

Keywords

We have called the infinitive the (keyword) to refer to its central importance in remembering the 36 ways it can be used. Once you have located the appropriate keyword and made the connection with the illustration, you can then start to learn each colour-tense.

Colour-Coded Verb Tables

The verb tables are designed to save you further valuable time by focusing all your attention on one color tense allowing you to make immediate connections between the subject and verb. Making this association clear and simple from the beginning will give you more confidence to start speaking the language.

LearnBots Animations

Each picture in this book can also be viewed as an animation for FREE. Simply visit our animations link on www.LearnBots.com

Master the Verbs

Once your confident with each colour-tense, congratulate yourself because you will have learnt over 3600 verb forms, an achievement that takes some people years to master!

So is it really possible to "Learn 101 Verbs in 1 Day"?

Well, the answer to this is yes! If you carfully look at each picture and make the connection and see the (keyword) you should be able to remember the 101 verb infinitives in just one day. Of course remembering all the conjugations is going to take you longer but by at least knowing the most important verbs you can then start to learn each tense in your own time.

Reviews

Testimonials from Heads of M.F.L. & Teachers using the books with their classes around the U.K.

"This stimulating verb book, hitherto a contradiction in terms, goes a long way to dispelling the fear of putting essential grammar at the heart of language learning at the early and intermediate stages.
Particularly at the higher level of GCSE speaking and writing, where many students find themselves at a loss for a sufficient range of verbs to express what they were/ have been/ are and will be doing, these books enhances their conviction to express themselves richly, with subtlety and accuracy.
More exciting still is the rapid progress with which new (Year 8) learners both assimilate the core vocabulary and seek to speak and write about someone other than 'I'.
The website is outstanding in its accessibility and simplicity for students to listen to the recurrent patterns of all 101 verbs from someone else's voice other than mine is a significant advantage.
I anticipate a more confident, productive and ambitious generation of linguists will benefit from your highly effective product."

Yours sincerely

Andy Smith, Head of Spanish, Salesian College

After a number of years in which educational trends favoured oral fluency over grammatical accuracy, it is encouraging to see a book which goes back to the basics and makes learning verbs less daunting and even easy.At the end of the day,verb patterns are fundamental in order to gain linguistic precision and sophistication, and thus should not be regarded as a chore but as necessary elements to achieve competence in any given language.
The colour coding in this book makes for quick identification of tenses, and the running stories provided by the pictures are an ideal mnemonic device in that they help students visualize each word. I would heartily recommend this fun verb book for use with pupils in the early stages of language learning and for revision later on in their school careers.
It can be used for teaching but also, perhaps more importantly, as a tool for independent study.The website stresses this fact as students can comfortably check the pronunciation guide from their own homes.This is a praiseworthy attempt to make Spanish verbs more easily accessible to every schoolboy and girl in the country.
Dr Josep-Lluís González Medina Head of Spanish
Eton College

We received the book in January with a request to review it - well, a free book is always worth it.We had our apprehensions as to how glitzy can a grammar book be? I mean don't they all promise to improve pupils' results and engage their interest?
So, imagine my shock when after three lessons with a mixed ability year 10 group, the majority of pupils could write the verb 'tener' in three tenses- past, present and future. It is the way this book colour

codes each tense which makes it easy for the pupils to learn. With this success, I transferred the information onto PowerPoint and presented it at the start of each class as the register was taken, after which pupils were asked for the English of each verb.This again showed the majority of pupils had taken in the information.

I sent a letter home to parents explaining what the book entailed and prepared a one-off sample lesson for parents to attend. I had a turnout of 20 parents who were amazed at how easy the book was to use. In March, the book was put to the test of the dreaded OFSTED inspector. Unexpectedly, she came into my year 10 class as they were studying the pictures during the roll call - she looked quite stunned as to how many of the verbs the pupils were able to remember. I proceeded with my lesson and during the feedback session she praised this method and thought it was the way forward in MFL teaching.

Initially we agreed to keep the book for year 10's but year 11 was introduced to the book at Easter as a revision tool.They were tested at the start of each lesson on a particular tense and if unsure were given 20 seconds to concentrate on the coloured verb table and then reciting it.There was a remarkable improvement in each pupils progress.- I only wish we had have had access to the book before Christmas in order to aid them with their coursework- But with this said the school achieved great results. In reviewing the book I would say "No more boring grammar lessons!!! This book is a great tool to learning verbs through excellent illustrations.A must-have for all language learners."

Footnote:

We have now received the new format French and the students are finding it even easier to learn the verbs and we now have more free time.

Lynda McTier, Head of Spanish Lipson Community College

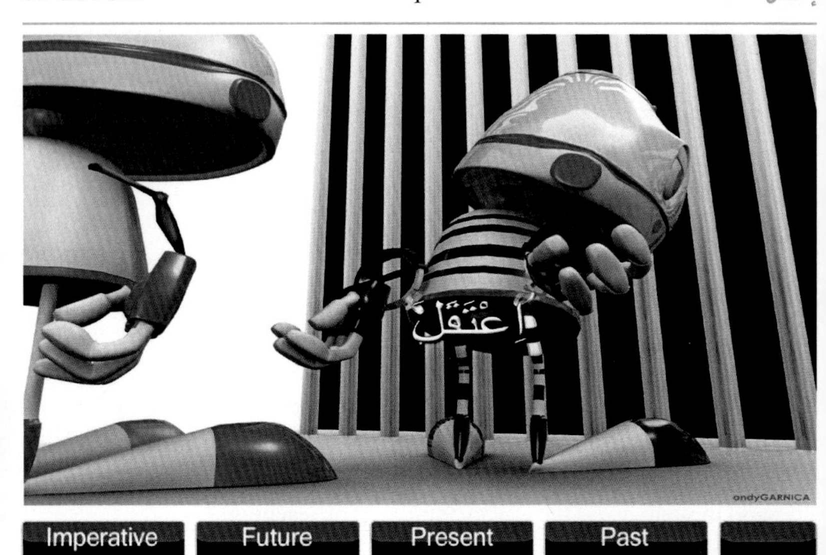

Imperative	Future	Present	Past	
	سَأعْتَقِلُ	أعْتَقِلُ	إعْتَقَلْتُ	أنا
اِعْتَقِلْ	سَتَعْتَقِلُ	تَعْتَقِلُ	إعْتَقَلْتَ	أنْتَ
اِعْتَقِلي	سَتَعْتَقِلينَ	تَعْتَقِلينَ	إعْتَقَلْتِ	أنْتِ
اِعْتَقِلا	سَتَعْتَقِلانِ	تَعْتَقِلانِ	إعْتَقَلْتُما	أنْتُما
اِعْتَقِلوا	سَتَعْتَقِلونَ	تَعْتَقِلونَ	إعْتَقَلْتُمْ	أنْتُمْ
اِعْتَقِلْنَ	سَتَعْتَقِلْنَ	تَعْتَقِلْنَ	إعْتَقَلْتُنَّ	أنْتُنَّ
	سَنَعْتَقِلُ	نَعْتَقِلُ	إعْتَقَلْنا	نَحْنُ
	سَيَعْتَقِلُ	يَعْتَقِلُ	إعْتَقَلَ	هُوَ
	سَتَعْتَقِلُ	تَعْتَقِلُ	إعْتَقَلَتْ	هِيَ
	سَيَعْتَقِلانِ	يَعْتَقِلانِ	إعْتَقَلا	هُما
	سَتَعْتَقِلانِ	تَعْتَقِلانِ	إعْتَقَلَتا	هُما
	سَيَعْتَقِلونَ	يَعْتَقِلونَ	إعْتَقَلوا	هُمْ
	سَيَعْتَقِلْنَ	يَعْتَقِلْنَ	إعْتَقَلْنَ	هُنَّ

Imperative	Future	Present	Past	
	سَأصِلُ	أصِلُ	وَصَلْتُ	أنا
صِلْ	سَتَصِلُ	تَصِلُ	وَصَلْتَ	أنْتَ
صِلْي	سَتَصِلِينَ	تَصِلِينَ	وَصَلْتِ	أنْتِ
صِلا	سَتَصِلانِ	تَصِلانِ	وَصَلْتُما	أنْتُما
صِلوا	سَتَصِلونَ	تَصِلونَ	وَصَلْتُمْ	أنْتُمْ
صِلْنَ	سَتَصِلْنَ	تَصِلْنَ	وَصَلْتَنَّ	أنْتُنَّ
	سَنَصِلُ	نَصِلُ	وَصَلْنا	نَحْنُ
	سَيَصِلُ	يَصِلُ	وَصَلَ	هُوَ
	سَتَصِلُ	تَصِلُ	وَصَلَتْ	هِيَ
	سَيَصِلانِ	يَصِلانِ	وَصَلاَ	هُما
	سَتَصِلانِ	تَصِلانِ	وَصَلَتا	هُما
	سَيَصِلونَ	يَصِلونَ	وَصَلوا	هُمْ
	سَيَصِلْنَ	يَصِلْنَ	وَصَلْنَ	هُنَّ

Imperative	Future	Present	Past	
	سَأَسْأَلُ	أَسْأَلُ	سَأَلْتُ	أنا
اِسْأَلْ	سَتَسْأَلُ	تَسْأَلُ	سَأَلْتَ	أَنْتَ
اِسْأَلِي	سَتَسْأَلِينَ	تَسْأَلِينَ	سَأَلْتِ	أَنْتِ
اِسْأَلا	سَتَسْأَلانِ	تَسْأَلانِ	سَأَلْتُما	أَنْتُما
اِسْأَلُوا	سَتَسْأَلُونَ	تَسْأَلُونَ	سَأَلْتُمْ	أَنْتُمْ
اِسْأَلْنَ	سَتَسْأَلْنَ	تَسْأَلْنَ	سَأَلْتُنَّ	أَنْتُنَّ
	سَنَسْأَلُ	نَسْأَلُ	سَأَلْنا	نَحْنُ
	سَيَسْأَلُ	يَسْأَلُ	سَأَلَ	هُوَ
	سَتَسْأَلُ	تَسْأَلُ	سَأَلَتْ	هِيَ
	سَيَسْأَلانِ	يَسْأَلانِ	سَأَلا	هُما
	سَتَسْأَلانِ	تَسْأَلانِ	سَأَلَتا	هُما
	سَيَسْأَلُونَ	يَسْأَلُونَ	سَأَلُوا	هُمْ
	سَيَسْأَلْنَ	يَسْأَلْنَ	سَأَلْنَ	هُنَّ

Imperative	Future	Present	Past	
	سَأكونُ	أكونُ	كُنْتُ	أنا
كُنْ	ستَكونُ	تَكونُ	كُنْتَ	أنْتَ
كوني	ستَكونينَ	تَكونينَ	كُنْتِ	أنْتِ
كونا	ستَكونانِ	تَكونانِ	كُنْتُما	أنْتُما
كونوا	ستَكونونَ	تَكونونَ	كُنْتُمْ	أنْتُمْ
كنَّ	ستَكونَّ	تَكونَّ	كُنْتُنَّ	أنْتُنَّ
	ستَكونُ	نَكونُ	كُنَّا	نَحْنُ
	سيَكونُ	يَكونُ	كانَ	هُوَ
	ستَكونُ	تَكونُ	كانَتْ	هِيَ
	سيَكونانِ	يَكونانِ	كانَا	هُما
	ستَكونانِ	تَكونانِ	كانَتا	هُما
	سيَكونونَ	يَكونونَ	كانوا	هُمْ
	سيَكنَّ	يَكنَّ	كُنَّ	هُنَّ

Imperative	Future	Present	Past	
	سَأكونُ	أكونُ	كُنْتُ	أنا
كُنْ	سَتَكونُ	تَكونُ	كُنْتَ	أَنْتَ
كوني	سَتَكونينَ	تَكونينَ	كُنْتِ	أَنْتِ
كونا	سَتَكونانِ	تَكونانِ	كُنْتُما	أَنْتُما
كونوا	سَتَكونونَ	تَكونونَ	كُنْتُمْ	أَنْتُمْ
كُنَّ	سَتَكونَّ	تَكونَّ	كُنْتُنَّ	أَنْتُنَّ
	سَنَكونُ	نَكونُ	كُنّا	نَحْنُ
	سَيَكونُ	يَكونُ	كانَ	هُوَ
	سَتَكونُ	تَكونُ	كانَتْ	هِيَ
	سَيَكونانِ	يَكونانِ	كانا	هُما
	سَتَكونانِ	تَكونانِ	كانَتا	هُما
	سَيَكونونَ	يَكونونَ	كانوا	هُمْ
	سَيَكُنَّ	يَكُنَّ	كُنَّ	هُنَّ

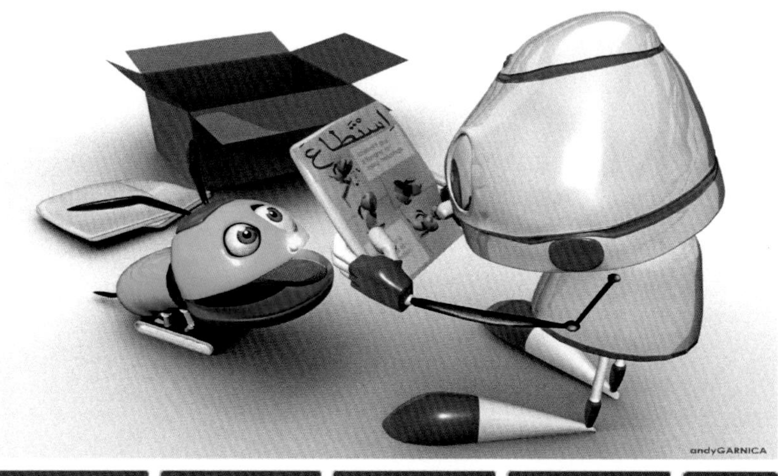

Imperative	Future	Present	Past	
	سَأَسْتَطيعُ	أَسْتَطيعُ	اِسْتَطَعْتُ	أنا
اِسْتَطِعْ	سَتَسْتَطيعُ	تَسْتَطيعُ	اِسْتَطَعْتَ	أنْتَ
اِسْتَطيعي	سَتَسْتَطيعينَ	تَسْتَطيعينَ	اِسْتَطَعْتِ	أنْتِ
اِسْتَطيعا	سَتَسْتَطيعانِ	تَسْتَطيعانِ	اِسْتَطَعْتُما	أنْتُما
اِسْتَطيعوا	سَتَسْتَطيعونَ	تَسْتَطيعونَ	اِسْتَطَعْتُمْ	أنْتُمْ
اِسْتَطِعْنَ	سَتَسْتَطِعْنَ	تَسْتَطِعْنَ	اِسْتَطَعْتُنَّ	أنْتُنَّ
	سَنَسْتَطيعُ	نَسْتَطيعُ	اِسْتَطَعْنا	نَحْنُ
	سَيَسْتَطيعُ	يَسْتَطيعُ	اِسْتَطاعَ	هُوَ
	سَتَسْتَطيعُ	تَسْتَطيعُ	اِسْتَطاعَتْ	هِيَ
	سَيَسْتَطيعانِ	يَسْتَطيعانِ	اِسْتَطاعا	هُما
	سَتَسْتَطيعانِ	تَسْتَطيعانِ	اِسْتَطاعَتا	هُما
	سَيَسْتَطيعونَ	يَسْتَطيعونَ	اِسْتَطاعوا	هُمْ
	سَيَسْتَطِعْنَ	يَسْتَطِعْنَ	اِسْتَطَعْنَ	هُنَّ

Imperative	Future	Present	Past	
	سَأَسْكُتُ	أسْكُتُ	سَكَتُّ	أنا
أُسْكُتْ	سَتَسْكُتُ	تَسْكُتُ	سَكَتَّ	أنْتَ
أُسْكُتي	سَتَسْكُتينَ	تَسْكُتينَ	سَكَتِّ	أنْتِ
أُسْكُتا	سَتَسْكُتانِ	تَسْكُتانِ	سَكَتُّما	أنْتُما
أُسْكُتوا	سَتَسْكُتونَ	تَسْكُتونَ	سَكَتُّمْ	أنْتُمْ
أُسْكُتْنَ	سَتَسْكُتْنَ	تَسْكُتْنَ	سَكَتُّنَّ	أنْتُنَّ
	سَنَسْكُتُ	نَسْكُتُ	سَكَتْنا	نَحْنُ
	سَيَسْكُتُ	يَسْكُتُ	سَكَتَ	هُوَ
	سَتَسْكُتُ	تَسْكُتُ	سَكَتَتْ	هِيَ
	سَيَسْكُتانِ	يَسْكُتانِ	سَكَتا	هُما
	سَتَسْكُتانِ	تَسْكُتانِ	سَكَتَتا	هُما
	سَيَسْكُتونَ	يَسْكُتونَ	سَكَتوا	هُمْ
	سَيَسْكُتْنَ	يَسْكُتْنَ	سَكَتْنَ	هُنَّ

Imperative	Future	Present	Past	
	سَأُحْضِرُ	أُحْضِرُ	أحْضَرْتُ	أنا
أحْضِرْ	سَتُحْضِرُ	تُحْضِرُ	أحْضَرْتَ	أنْتَ
أحْضِري	سَتُحْضِرينَ	تُحْضِرينَ	أحْضَرْتِ	أنْتِ
أحْضِرا	سَتُحْضِرانِ	تُحْضِرانِ	أحْضَرْتُما	أنْتُما
أحْضِروا	سَتُحْضِرونَ	تُحْضِرونَ	أحْضَرْتُمْ	أنْتُمْ
أحْضِرْنَ	سَتُحْضِرْنَ	تُحْضِرْنَ	أحْضَرْتُنَّ	أنْتُنَّ
	سَنُحْضِرُ	نُحْضِرُ	أحْضَرْنا	نَحْنُ
	سَيُحْضِرُ	يُحْضِرُ	أحْضَرَ	هُوَ
	سَتُحْضِرُ	تُحْضِرُ	أحْضَرَتْ	هِيَ
	سَيُحْضِرانِ	يُحْضِرانِ	أحْضَرا	هُما
	سَتُحْضِرانِ	تُحْضِرانِ	أحْضَرَتا	هُما
	سَيُحْضِرونَ	يُحْضِرونَ	أحْضَروا	هُمْ
	سَيُحْضِرْنَ	يُحْضِرْنَ	أحْضَرْنَ	هُنَّ

andyGARNICA

Imperative	Future	Present	Past	
	سَأبْني	أبْني	بَنَيْتُ	أنا
اِبْنِ	سَتَبْني	تَبْني	بَنَيْتَ	أنْتَ
اِبْني	سَتَبْنينَ	تَبْنينَ	بَنَيْتِ	أنْتِ
اِبْنِيا	سَتَبْنيانِ	تَبْنيانِ	بَنَيْتُما	أنْتُما
اِبْنوا	سَتَبْنونَ	تَبْنونَ	بَنَيْتُمْ	أنْتُمْ
اِبْنينَ	سَتَبْنينَ	تَبْنينَ	بَنَيْتُنَّ	أنْتُنَّ
	سَنَبْني	نَبْني	بَنَيْنا	نَحْنُ
	سَيَبْني	يَبْني	بَنى	هُوَ
	سَتَبْني	تَبْني	بَنَتْ	هِيَ
	سَيَبْنيانِ	يَبْنيانِ	بَنَيا	هُما
	سَتَبْنيانِ	تَبْنيانِ	بَنَتا	هُما
	سَيَبْنونَ	يَبْنونَ	بَنَوا	هُمْ
	سَيَبْنينَ	يَبْنينَ	بَنَيْنَ	هُنَّ

Imperative	Future	Present	Past	
	سَأَشْتَري	أَشْتَري	اِشْتَرَيْتُ	أنا
اِشْتَرِ	سَتَشْتَري	تَشْتَري	اِشْتَرَيْتَ	أنْتَ
اِشْتَري	سَتَشْتَرينَ	تَشْتَرينَ	اِشْتَرَيْتِ	أنْتِ
اِشْتَريا	سَتَشْتَريانِ	تَشْتَريانِ	اِشْتَرَيْتُما	أنْتُما
اِشْتَروا	سَتَشْتَرونَ	تَشْتَرونَ	اِشْتَرَيْتُمْ	أنْتُمْ
اِشْتَرينَ	سَتَشْتَرَينَ	تَشْتَرَينَ	اِشْتَرَيْتُنَّ	أنْتُنَّ
	سَنَشْتَري	نَشْتَري	اِشْتَرَيْنا	نَحْنُ
	سَيَشْتَري	يَشْتَري	اِشْتَرى	هُوَ
	سَتَشْتَري	تَشْتَري	اِشْتَرَتْ	هِيَ
	سَيَشْتَريانِ	يَشْتَريانِ	اِشْتَرِيا	هُما
	سَتَشْتَريانِ	تَشْتَريانِ	اِشْتَرَتا	هُما
	سَيَشْتَرونَ	يَشْتَرونَ	اِشْتَروا	هُمْ
	سَيَشْتَرينَ	يَشْتَرينَ	اِشْتَرَيْنَ	هُنَّ

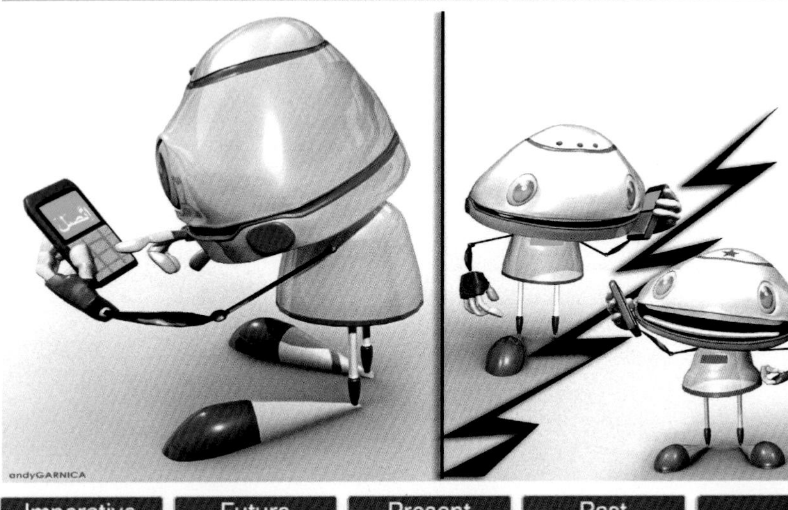

Imperative	Future	Present	Past	
	سَأَتَّصِلُ	أَتَّصِلُ	اِتَّصَلْتُ	أنا
اِتَّصِلْ	سَتَتَّصِلُ	تَتَّصِلُ	اِتَّصَلْتَ	أَنْتَ
اِتَّصِلي	سَتَتَّصِلينَ	تَتَّصِلينَ	اِتَّصَلْتِ	أَنْتِ
اِتَّصِلا	سَتَتَّصِلانِ	تَتَّصِلانِ	اِتَّصَلْتُما	أَنْتُما
اِتَّصِلوا	سَتَتَّصِلونَ	تَتَّصِلونَ	اِتَّصَلْتُمْ	أَنْتُمْ
اِتَّصِلْنَ	سَتَتَّصِلْنَ	تَتَّصِلْنَ	اِتَّصَلْتُنَّ	أَنْتُنَّ
	سَنَتَّصِلُ	نَتَّصِلُ	اِتَّصَلْنا	نَحْنُ
	سَيَتَّصِلُ	يَتَّصِلُ	اِتَّصَلَ	هُوَ
	سَتَتَّصِلُ	تَتَّصِلُ	اِتَّصَلَتْ	هِيَ
	سَيَتَّصِلانِ	يَتَّصِلانِ	اِتَّصَلا	هُما
	سَتَتَّصِلانِ	تَتَّصِلانِ	اِتَّصَلَتا	هُما
	سَيَتَّصِلونَ	يَتَّصِلونَ	اِتَّصَلوا	هُمْ
	سَيَتَّصِلْنَ	يَتَّصِلْنَ	اِتَّصَلْنَ	هُنَّ

Imperative	Future	Present	Past	
	سَأَحْمِلُ	أَحْمِلُ	حَمَلْتُ	أنا
اِحْمِلْ	سَتَحْمِلُ	تَحْمِلُ	حَمَلْتَ	أَنْتَ
اِحْمِلي	سَتَحْمِلينَ	تَحْمِلينَ	حَمَلْتِ	أَنْتِ
اِحْمِلا	سَتَحْمِلانِ	تَحْمِلانِ	حَمَلْتُما	أَنْتُما
اِحْمِلوا	سَتَحْمِلونَ	تَحْمِلونَ	حَمَلْتُمْ	أَنْتُمْ
اِحْمِلْنَ	سَتَحْمِلْنَ	تَحْمِلْنَ	حَمَلْتُنَّ	أَنْتُنَّ
	سَنَحْمِلُ	نَحْمِلُ	حَمَلْنا	نَحْنُ
	سَيَحْمِلُ	يَحْمِلُ	حَمَلَ	هُوَ
	سَتَحْمِلُ	تَحْمِلُ	حَمَلَتْ	هِيَ
	سَيَحْمِلانِ	يَحْمِلانِ	حَمَلا	هُما
	سَتَحْمِلانِ	تَحْمِلانِ	حَمَلَتا	هُما
	سَيَحْمِلونَ	يَحْمِلونَ	حَمَلوا	هُمْ
	سَيَحْمِلْنَ	يَحْمِلْنَ	حَمَلْنَ	هُنَّ

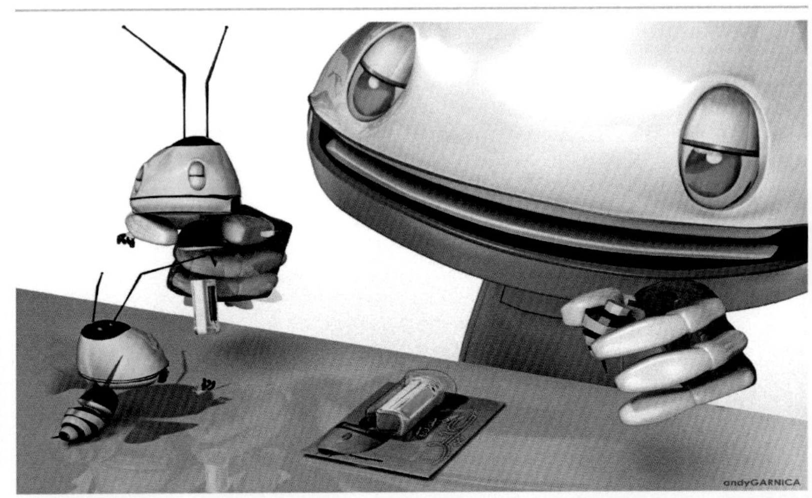

Imperative	Future	Present	Past	
	سَأُغَيِّرُ	أُغَيِّرُ	غَيَّرْتُ	أنا
غَيِّرْ	سَتُغَيِّرُ	تُغَيِّرُ	غَيَّرْتَ	أَنْتَ
غَيِّري	سَتُغَيِّرِينَ	تُغَيِّرِينَ	غَيَّرْتِ	أَنْتِ
غَيِّرا	سَتُغَيِّرانِ	تُغَيِّرانِ	غَيَّرْتُما	أَنْتُما
غَيِّروا	سَتُغَيِّرونَ	تُغَيِّرونَ	غَيَّرْتُمْ	أَنْتُمْ
غَيِّرْنَ	سَتُغَيِّرْنَ	تُغَيِّرْنَ	غَيَّرْتُنَّ	أَنْتُنَّ
	سَنُغَيِّرُ	نُغَيِّرُ	غَيَّرْنا	نَحْنُ
	سَيُغَيِّرُ	يُغَيِّرُ	غَيَّرَ	هُوَ
	سَتُغَيِّرُ	تُغَيِّرُ	غَيَّرَتْ	هِيَ
	سَيُغَيِّرانِ	يُغَيِّرانِ	غَيَّرا	هُما
	سَتُغَيِّرانِ	تُغَيِّرانِ	غَيَّرَتا	هُما
	سَيُغَيِّرونَ	يُغَيِّرونَ	غَيَّروا	هُمْ
	سَيُغَيِّرْنَ	يُغَيِّرْنَ	غَيَّرْنَ	هُنَّ

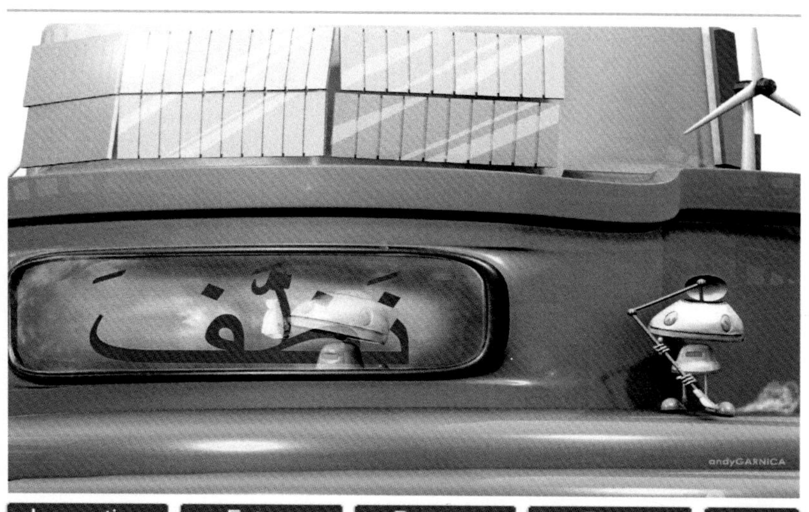

Imperative	Future	Present	Past	
	سأُنَظِّفُ	أُنَظِّفُ	نَظَّفْتُ	أنا
نَظِّفْ	ستُنَظِّفُ	تُنَظِّفُ	نَظَّفْتَ	أنْتَ
نَظِّفي	ستُنَظِّفِينَ	تُنَظِّفِينَ	نَظَّفْتِ	أنْتِ
نَظِّفا	ستُنَظِّفانِ	تُنَظِّفانِ	نَظَّفْتُما	أنْتُما
نَظِّفوا	ستُنَظِّفونَ	تُنَظِّفونَ	نَظَّفْتُمْ	أنْتُمْ
نَظِّفْنَ	ستُنَظِّفْنَ	تُنَظِّفْنَ	نَظَّفْتُنَّ	أنْتُنَّ
	سنُنَظِّفُ	نُنَظِّفُ	نَظَّفْنا	نَحْنُ
	سيُنَظِّفُ	يُنَظِّفُ	نَظَّفَ	هُوَ
	ستُنَظِّفُ	تُنَظِّفُ	نَظَّفَتْ	هِيَ
	سيُنَظِّفانِ	يُنَظِّفانِ	نَظَّفا	هُما
	ستُنَظِّفانِ	تُنَظِّفانِ	نَظَّفَتا	هُما
	سيُنَظِّفونَ	يُنَظِّفونَ	نَظَّفوا	هُمْ
	سيُنَظِّفْنَ	يُنَظِّفْنَ	نَظَّفْنَ	هُنَّ

Imperative	Future	Present	Past	
	سَأُغْلِقُ	أُغْلِقُ	أَغْلَقْتُ	أنا
أَغْلِقْ	سَتُغْلِقُ	تُغْلِقُ	أَغْلَقْتَ	أَنْتَ
أَغْلِقي	سَتُغْلِقينَ	تُغْلِقينَ	أَغْلَقْتِ	أَنْتِ
أَغْلِقا	سَتُغْلِقانِ	تُغْلِقانِ	أَغْلَقْتُما	أَنْتُما
أَغْلِقوا	سَتُغْلِقونَ	تُغْلِقونَ	أَغْلَقْتُمْ	أَنْتُمْ
أَغْلِقْنَ	سَتُغْلِقْنَ	تُغْلِقْنَ	أَغْلَقْتُنَّ	أَنْتُنَّ
	سَنُغْلِقُ	نُغْلِقُ	أَغْلَقْنا	نَحْنُ
	سَيُغْلِقُ	يُغْلِقُ	أَغْلَقَ	هُوَ
	سَتُغْلِقُ	تُغْلِقُ	أَغْلَقَتْ	هِيَ
	سَيُغْلِقانِ	يُغْلِقانِ	أَغْلَقا	هُما
	سَتُغْلِقانِ	تُغْلِقانِ	أَغْلَقَتا	هُما
	سَيُغْلِقونَ	يُغْلِقونَ	أَغْلَقوا	هُمْ
	سَيُغْلِقْنَ	يُغْلِقْنَ	أَغْلَقْنَ	هُنَّ

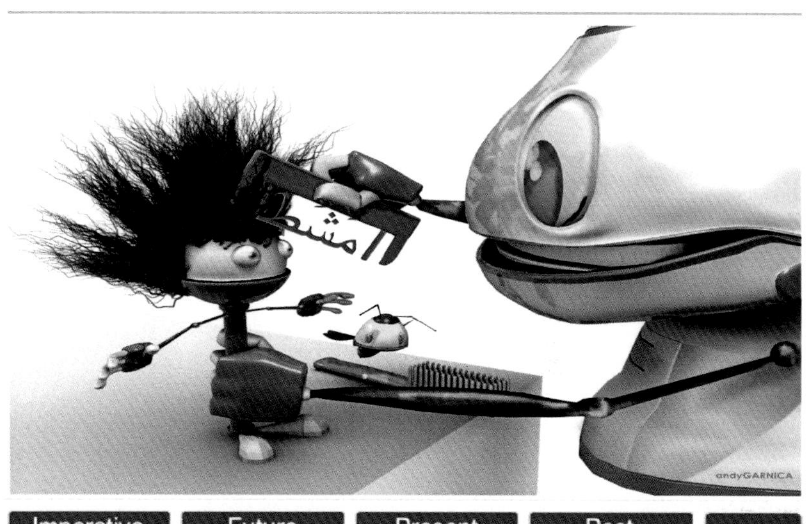

Imperative	Future	Present	Past	
	سَأمْشِطُ	أمْشِطُ	مَشَطْتُ	أنا
امْشِطْ	سَتَمْشِطُ	تَمْشِطُ	مَشَطْتَ	أنْتَ
امْشِطي	سَتَمْشِطينَ	تَمْشِطينَ	مَشَطْتِ	أنْتِ
امْشِطا	سَتَمْشِطانِ	تَمْشِطانِ	مَشَطْتُما	أنْتُما
امْشِطوا	سَتَمْشِطونَ	تَمْشِطونَ	مَشَطْتُمْ	أنْتُمْ
امْشِطْنَ	سَتَمْشِطْنَ	تَمْشِطْنَ	مَشَطْتُنَّ	أنْتُنَّ
	سَنَمْشِطُ	نَمْشِطُ	مَشَطْنا	نَحْنُ
	سَيَمْشِطُ	يَمْشِطُ	مَشَطَ	هُوَ
	سَتَمْشِطُ	تَمْشِطُ	مَشَطَتْ	هِيَ
	سَيَمْشِطانِ	يَمْشِطانِ	مَشَطا	هُما
	سَتَمْشِطانِ	تَمْشِطانِ	مَشَطَتا	هُما
	سَيَمْشِطونَ	يَمْشِطونَ	مَشَطوا	هُمْ
	سَيَمْشِطْنَ	يَمْشِطْنَ	مَشَطْنَ	هُنَّ

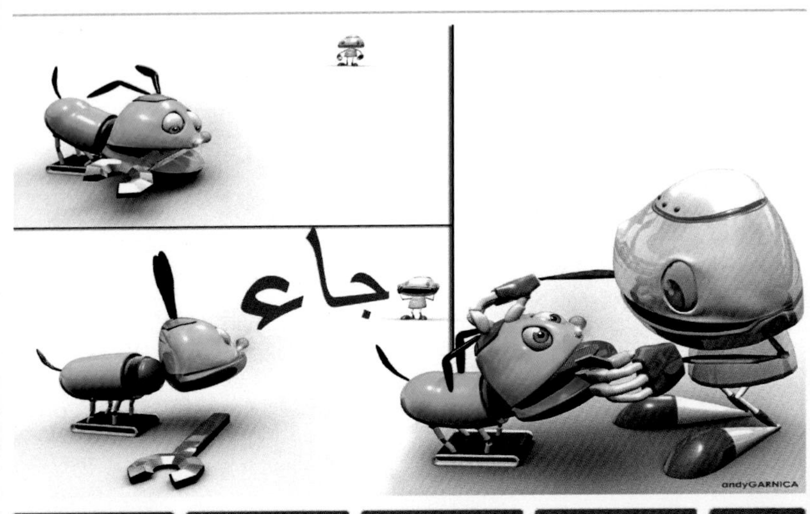

Imperative	Future	Present	Past	
	سَأجيءُ	أجيءُ	جِئْتُ	أنا
جِئْ	سَتَجيءُ	تَجيءُ	جِئْتَ	أنْتَ
جيئي	سَتَجيئينَ	تَجيئينَ	جِئْتِ	أنْتِ
جيئا	سَتَجيئانِ	تَجيئانِ	جِئْتُما	أنْتُما
جيئوا	سَتَجيئونَ	تَجيئونَ	جِئْتُمْ	أنْتُمْ
جِئْنَ	سَتَجِئْنَ	تَجِئْنَ	جِئْتُنَّ	أنْتُنَّ
	سَنَجيءُ	نَجيءُ	جِئْنا	نَحْنُ
	سَيَجيءُ	يَجيءُ	جاءَ	هُوَ
	سَتَجيءُ	تَجيءُ	جاءَتْ	هِيَ
	سَيَجيئانِ	يَجيئانِ	جاءَا	هُما
	سَتَجيئانِ	تَجيئانِ	جاءَتا	هُما
	سَيَجيئونَ	يَجيئونَ	جاؤوا	هُمْ
	سَيَجِئْنَ	يَجِئْنَ	جِئْنَ	هُنَّ

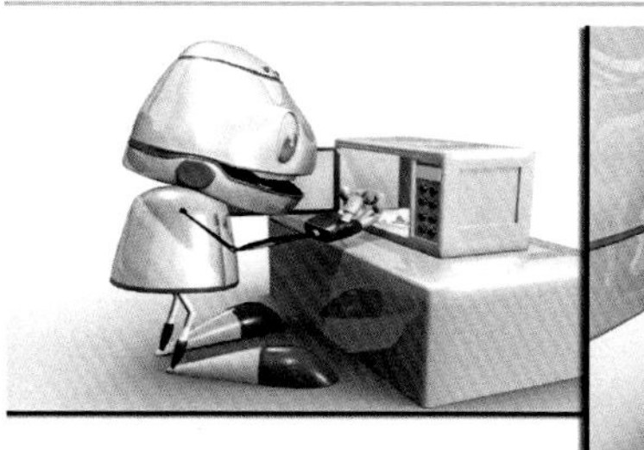

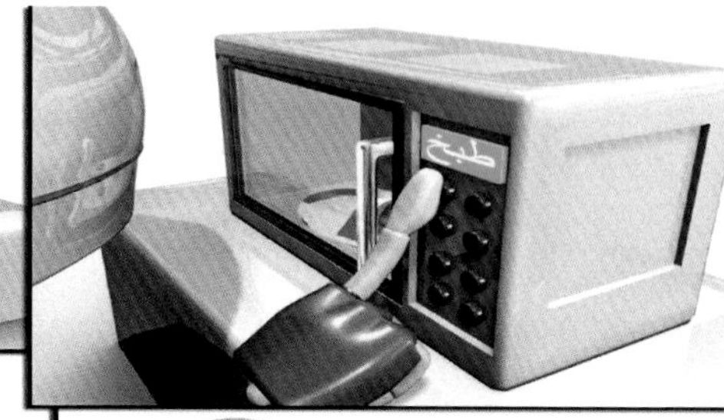

Imperative	Future	Present	Past	
	سَأَطْبُخُ	أَطْبُخُ	طَبَخْتُ	أنا
أُطْبُخْ	سَتَطْبُخُ	تَطْبُخُ	طَبَخْتَ	أنْتَ
أُطْبُخي	سَتَطْبُخينَ	تَطْبُخينَ	طَبَخْتِ	أنْتِ
أُطْبُخا	سَتَطْبُخانِ	تَطْبُخانِ	طَبَخْتُما	أنْتُما
أُطْبُخوا	سَتَطْبُخونَ	تَطْبُخونَ	طَبَخْتُمْ	أنْتُمْ
أُطْبُخْنَ	سَتَطْبُخْنَ	تَطْبُخْنَ	طَبَخْتُنَّ	أنْتُنَّ
	سَنَطْبُخُ	نَطْبُخُ	طَبَخْنا	نَحْنُ
	سَيَطْبُخُ	يَطْبُخُ	طَبَخَ	هُوَ
	سَتَطْبُخُ	تَطْبُخُ	طَبَخَتْ	هِيَ
	سَيَطْبُخانِ	يَطْبُخانِ	طَبَخا	هُما
	سَتَطْبُخانِ	تَطْبُخانِ	طَبَخَتا	هُما
	سَيَطْبُخونَ	يَطْبُخونَ	طَبَخوا	هُمْ
	يَطْبُخْنَ	يَطْبُخْنَ	طَبَخْنَ	هُنَّ

	Past	Present	Future	Imperative
أنا	حَسَبْتُ	أحْسُبُ	سَأحْسُبُ	
أنْتَ	حَسَبْتَ	تَحْسُبُ	سَتَحْسُبُ	أحْسُبْ
أنْتِ	حَسَبْتِ	تَحْسُبِينَ	سَتَحْسُبِينَ	أحْسُبي
أنْتُما	حَسَبْتُما	تَحْسُبانِ	سَتَحْسُبانِ	أحْسُبا
أنْتُمْ	حَسَبْتُمْ	تَحْسُبونَ	سَتَحْسُبونَ	أحْسُبوا
أنْتُنَّ	حَسَبْتُنَّ	تَحْسُبْنَ	سَتَحْسُبْنَ	أحْسُبْنَ
نَحْنُ	حَسَبْنا	نَحْسُبُ	سَنَحْسُبُ	
هُوَ	حَسَبَ	يَحْسُبُ	سَيَحْسُبُ	
هِيَ	حَسَبَتْ	تَحْسُبُ	سَتَحْسُبُ	
هُما	حَسَبَا	يَحْسُبانِ	سَيَحْسُبانِ	
هُما	حَسَبَتا	تَحْسُبانِ	سَتَحْسُبانِ	
هُمْ	حَسَبوا	يَحْسُبونَ	سَيَحْسُبونَ	
هُنَّ	حَسَبْنَ	يَحْسُبْنَ	سَيَحْسُبْنَ	

Imperative	Future	Present	Past	
	سَأصْطَدِمُ	أصْطَدِمُ	إصْطَدَمْتُ	أنا
اِصْطَدِمْ	سَتَصْطَدِمُ	تَصْطَدِمُ	إصْطَدَمْتَ	أنْتَ
اِصْطَدِمي	سَتَصْطَدِمينَ	تَصْطَدِمينَ	إصْطَدَمْتِ	أنْتِ
اِصْطَدِما	سَتَصْطَدِمانِ	تَصْطَدِمانِ	إصْطَدَمْتُما	أنْتُما
اِصْطَدِموا	سَتَصْطَدِمونَ	تَصْطَدِمونَ	إصْطَدَمْتُمْ	أنْتُمْ
اِصْطَدِمْنَ	سَتَصْطَدِمْنَ	تَصْطَدِمْنَ	إصْطَدَمْتُنَّ	أنْتُنَّ
	سَنَصْطَدِمُ	نَصْطَدِمُ	إصْطَدَمْنا	نَحْنُ
	سَيَصْطَدِمُ	يَصْطَدِمُ	إصْطَدَمَ	هُوَ
	سَتَصْطَدِمُ	تَصْطَدِمُ	إصْطَدَمَتْ	هِيَ
	سَيَصْطَدِمانِ	يَصْطَدِمانِ	إصْطَدَما	هُما
	سَتَصْطَدِمانِ	تَصْطَدِمانِ	إصْطَدَمَتا	هُما
	سَيَصْطَدِمونَ	يَصْطَدِمونَ	إصْطَدَموا	هُمْ
	سَيَصْطَدِمْنَ	يَصْطَدِمْنَ	إصْطَدَمْنَ	هُنَّ

Imperative	Future	Present	Past	
	سَأُبْدِعُ	أُبْدِعُ	أَبْدَعْتُ	أنا
أَبْدِعْ	سَتُبْدِعُ	تُبْدِعُ	أَبْدَعْتَ	أنْتَ
أَبْدِعِي	سَتُبْدِعِينَ	تُبْدِعِينَ	أَبْدَعْتِ	أنْتِ
أَبْدِعَا	سَتُبْدِعَانِ	تُبْدِعَانِ	أَبْدَعْتُمَا	أنْتُما
أَبْدِعُوا	سَتُبْدِعُونَ	تُبْدِعُونَ	أَبْدَعْتُمْ	أنْتُمْ
أَبْدِعْنَ	سَتُبْدِعْنَ	تُبْدِعْنَ	أَبْدَعْتُنَّ	أنْتُنَّ
	سَنُبْدِعُ	نُبْدِعُ	أَبْدَعْنَا	نَحْنُ
	سَيُبْدِعُ	يُبْدِعُ	أَبْدَعَ	هُوَ
	سَتُبْدِعُ	تُبْدِعُ	أَبْدَعَتْ	هِيَ
	سَيُبْدِعَانِ	يُبْدِعَانِ	أَبْدَعَا	هُما
	سَتُبْدِعَانِ	تُبْدِعَانِ	أَبْدَعَتَا	هُما
	سَيُبْدِعُونَ	يُبْدِعُونَ	أَبْدَعُوا	هُمْ
	سَيُبْدِعْنَ	يُبْدِعْنَ	أَبْدَعْنَ	هُنَّ

Imperative	Future	Present	Past	
	سَأُقَطِّعُ	أُقَطِّعُ	قَطَّعْتُ	أنا
قَطِّعْ	سَتُقَطِّعُ	تُقَطِّعُ	قَطَّعْتَ	أَنْتَ
قَطِّعي	سَتُقَطِّعينَ	تُقَطِّعينَ	قَطَّعْتِ	أَنْتِ
قَطِّعا	سَتُقَطِّعانِ	تُقَطِّعانِ	قَطَّعْتُما	أَنْتُما
قَطِّعوا	سَتُقَطِّعونَ	تُقَطِّعونَ	قَطَّعْتُمْ	أَنْتُمْ
قَطِّعْنَ	سَتُقَطِّعْنَ	تُقَطِّعْنَ	قَطَّعْتُنَّ	أَنْتُنَّ
	سَنُقَطِّعُ	نُقَطِّعُ	قَطَّعْنا	نَحْنُ
	سَيُقَطِّعُ	يُقَطِّعُ	قَطَّعَ	هُوَ
	سَتُقَطِّعُ	تُقَطِّعُ	قَطَّعَتْ	هِيَ
	سَيُقَطِّعانِ	يُقَطِّعانِ	قَطَّعا	هُما
	سَتُقَطِّعانِ	تُقَطِّعانِ	قَطَّعَتا	هُما
	سَيُقَطِّعونَ	يُقَطِّعونَ	قَطَّعوا	هُمْ
	سَيُقَطِّعْنَ	يُقَطِّعْنَ	قَطَّعْنَ	هُنَّ

Imperative	Future	Present	Past	
	سَأَرْقُصُ	أَرْقُصُ	رَقَصْتُ	أنا
أُرْقُصْ	سَتَرْقُصُ	تَرْقُصُ	رَقَصْتَ	أَنْتَ
أُرْقُصِي	سَتَرْقُصِينَ	تَرْقُصِينَ	رَقَصْتِ	أَنْتِ
أُرْقُصَا	سَتَرْقُصَانِ	تَرْقُصَانِ	رَقَصْتُمَا	أَنْتُمَا
أُرْقُصُوا	سَتَرْقُصُونَ	تَرْقُصُونَ	رَقَصْتُمْ	أَنْتُمْ
أُرْقُصْنَ	سَتَرْقُصْنَ	تَرْقُصْنَ	رَقَصْتُنَّ	أَنْتُنَّ
	سَنَرْقُصُ	نَرْقُصُ	رَقَصْنَا	نَحْنُ
	سَيَرْقُصُ	يَرْقُصُ	رَقَصَ	هُوَ
	سَتَرْقُصُ	تَرْقُصُ	رَقَصَتْ	هِيَ
	سَيَرْقُصَانِ	يَرْقُصَانِ	رَقَصَا	هُمَا
	سَتَرْقُصَانِ	تَرْقُصَانِ	رَقَصَتَا	هُمَا
	سَيَرْقُصُونَ	يَرْقُصُونَ	رَقَصُوا	هُمْ
	سَيَرْقُصْنَ	يَرْقُصْنَ	رَقَصْنَ	هُنَّ

Imperative	Future	Present	Past	
	سَأُقَرِّرُ	أُقَرِّرُ	قَرَّرْتُ	أنا
قَرِّرْ	سَتُقَرِّرُ	تُقَرِّرُ	قَرَّرْتَ	أنْتَ
قَرِّرِي	سَتُقَرِّرِينَ	تُقَرِّرِينَ	قَرَّرْتِ	أنْتِ
قَرِّرَا	سَتُقَرِّرَانِ	تُقَرِّرَانِ	قَرَّرْتُمَا	أنْتُما
قَرِّرُوا	سَتُقَرِّرُونَ	تُقَرِّرُونَ	قَرَّرْتُمْ	أنْتُمْ
قَرِّرْنَ	سَتُقَرِّرْنَ	تُقَرِّرْنَ	قَرَّرْتُنَّ	أنْتُنَّ
	سَنُقَرِّرُ	نُقَرِّرُ	قَرَّرْنَا	نَحْنُ
	سَيُقَرِّرُ	يُقَرِّرُ	قَرَّرَ	هُوَ
	سَتُقَرِّرُ	تُقَرِّرُ	قَرَّرَتْ	هِيَ
	سَيُقَرِّرَانِ	يُقَرِّرَانِ	قَرَّرَا	هُما
	سَتُقَرِّرَانِ	تُقَرِّرَانِ	قَرَّرَتَا	هُما
	سَيُقَرِّرُونَ	يُقَرِّرُونَ	قَرَّرُوا	هُمْ
	سَيُقَرِّرْنَ	يُقَرِّرْنَ	قَرَّرْنَ	هُنَّ

Imperative	Future	Present	Past	
	سَأُديرُ	أُديرُ	أَدَرْتُ	أنا
أَدِرْ	سَتُديرُ	تُديرُ	أَدَرْتَ	أَنْتَ
أَديري	سَتُديرينَ	تُديرينَ	أَدَرْتِ	أَنْتِ
أَديرا	سَتُديرانِ	تُديرانِ	أَدَرْتُما	أَنْتُما
أَديروا	سَتُديرونَ	تُديرونَ	أَدَرْتُمْ	أَنْتُمْ
أَدِرْنَ	سَتُدِرْنَ	تُدِرْنَ	أَدَرْتُنَّ	أَنْتُنَّ
	سَنُديرُ	نُديرُ	أَدَرْنا	نَحْنُ
	سَيُديرُ	يُديرُ	أَدارَ	هُوَ
	سَتُديرُ	تُديرُ	أَدارَتْ	هِيَ
	سَيُديرانِ	يُديرانِ	أَدارا	هُما
	سَتُديرانِ	تُديرانِ	أَدارَتا	هُما
	سَيُديرونَ	يُديرونَ	أَداروا	هُمْ
	سَيُدِرْنَ	يُدِرْنَ	أَدَرْنَ	هُنَّ

Imperative	Future	Present	Past	
	سَأَحْلُمُ	أَحْلُمُ	حَلَمْتُ	أنا
أُحْلُمْ	سَتَحْلُمُ	تَحْلُمُ	حَلَمْتَ	أَنْتَ
أُحْلُمي	سَتَحْلُمينَ	تَحْلُمينَ	حَلَمْتِ	أَنْتِ
أُحْلُما	سَتَحْلُمانِ	تَحْلُمانِ	حَلَمْتُما	أَنْتُما
أُحْلُموا	سَتَحْلُمونَ	تَحْلُمونَ	حَلَمْتُمْ	أَنْتُمْ
أُحْلُمْنَ	سَتَحْلُمْنَ	تَحْلُمْنَ	حَلَمْتُنَّ	أَنْتُنَّ
	سَنَحْلُمُ	نَحْلُمُ	حَلَمْنا	نَحْنُ
	سَيَحْلُمُ	يَحْلُمُ	حَلَمَ	هُوَ
	سَتَحْلُمُ	تَحْلُمُ	حَلَمَتْ	هِيَ
	سَيَحْلُمانِ	يَحْلُمانِ	حَلَما	هُما
	سَتَحْلُمانِ	تَحْلُمانِ	حَلَمَتا	هُما
	سَيَحْلُمونَ	يَحْلُمونَ	حَلَموا	هُمْ
	سَيَحْلُمْنَ	يَحْلُمْنَ	حَلَمْنَ	هُنَّ

	Past	Present	Future	Imperative
أنا	شَرِبْتُ	أَشْرَبُ	سَأَشْرَبُ	
أنْتَ	شَرِبْتَ	تَشْرَبُ	سَتَشْرَبُ	اِشْرَبْ
أنْتِ	شَرِبْتِ	تَشْرَبِينَ	سَتَشْرَبِينَ	اِشْرَبي
أنْتُما	شَرِبْتُما	تَشْرَبانِ	سَتَشْرَبانِ	اِشْرَبا
أنْتُمْ	شَرِبْتُمْ	تَشْرَبونَ	سَتَشْرَبونَ	اِشْرَبوا
أنْتُنَّ	شَرِبْتُنَّ	تَشْرَبْنَ	سَتَشْرَبْنَ	اِشْرَبْنَ
نَحْنُ	شَرِبْنا	نَشْرَبُ	سَنَشْرَبُ	
هُوَ	شَرِبَ	يَشْرَبُ	سَيَشْرَبُ	
هِيَ	شَرِبَتْ	تَشْرَبُ	سَتَشْرَبُ	
هُما	شَرِبا	يَشْرَبانِ	سَيَشْرَبانِ	
هُما	شَرِبَتا	تَشْرَبانِ	سَتَشْرَبانِ	
هُمْ	شَرِبوا	يَشْرَبونَ	سَيَشْرَبونَ	
هُنَّ	شَرِبْنَ	يَشْرَبْنَ	سَيَشْرَبْنَ	

Imperative	Future	Present	Past	
	سَأسوقُ	أسوقُ	سُقْتُ	أنا
سُقْ	سَتَسوقُ	تَسوقُ	سُقْتَ	أنْتَ
سوقي	سَتَسوقِينَ	تَسوقِينَ	سُقْتِ	أنْتِ
سوقا	سَتَسوقانِ	تَسوقانِ	سُقْتُما	أنْتُما
سوقوا	سَتَسوقونَ	تَسوقونَ	سُقْتُمْ	أنْتُمْ
سُقْنَ	سَتَسوقْنَ	تَسوقْنَ	سُقْتُنَّ	أنْتُنَّ
	سَنَسوقُ	نَسوقُ	سُقْنا	نَحْنُ
	سَيَسوقُ	يَسوقُ	ساقَ	هُوَ
	سَتَسوقُ	تَسوقُ	ساقَتْ	هِيَ
	سَيَسوقانِ	يَسوقانِ	ساقا	هُما
	سَتَسوقانِ	تَسوقانِ	ساقَتا	هُما
	سَيَسوقونَ	يَسوقونَ	ساقوا	هُمْ
	سَيَسُقْنَ	يَسُقْنَ	سُقْنَ	هُنَّ

Imperative	Future	Present	Past	
	سَآكُلُ	آكُلُ	أكَلْتُ	أنا
كُلْ	سَتَأْكُلُ	تَأْكُلُ	أكَلْتَ	أنْتَ
كُلي	سَتَأْكُلينَ	تَأْكُلينَ	أكَلْتِ	أنْتِ
كُلا	سَتَأْكُلانِ	تَأْكُلانِ	أكَلْتُما	أنْتُما
كُلوا	سَتَأْكُلونَ	تَأْكُلونَ	أكَلْتُمْ	أنْتُمْ
كُلْنَ	سَتَأْكُلْنَ	تَأْكُلْنَ	أكَلْتُنَّ	أنْتُنَّ
	سَنَأْكُلُ	نَأْكُلُ	أكَلْنا	نَحْنُ
	سَأْكُلُ	أْكُلُ	أكَلَ	هُوَ
	سَتَأْكُلُ	تَأْكُلُ	أكَلَتْ	هِيَ
	سَيَأْكُلانِ	يَأْكُلانِ	أكَلا	هُما
	سَتَأْكُلانِ	تَأْكُلانِ	أكَلَتا	هُما
	سَيَأْكُلونَ	يَأْكُلونَ	أكَلوا	هُمْ
	سَيَأْكُلْنَ	يَأْكُلْنَ	أكَلْنَ	هُنَّ

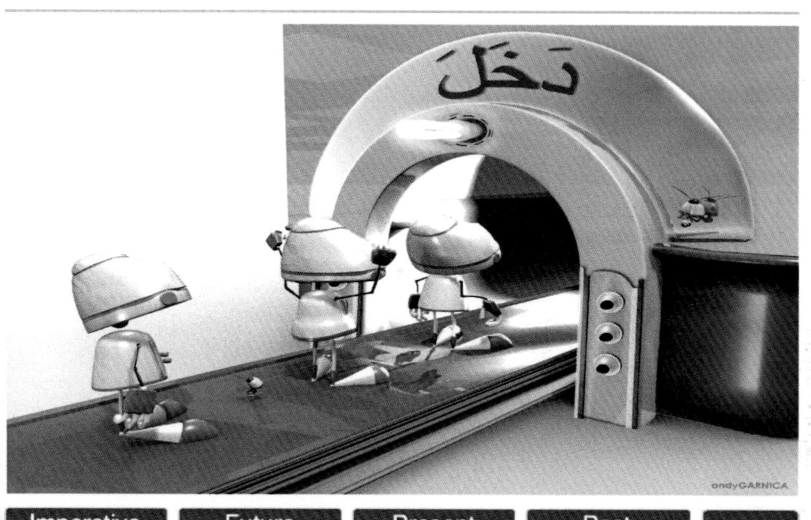

Imperative	Future	Present	Past	
	سَأَدْخُلُ	أَدْخُلُ	دَخَلْتُ	أنا
أُدْخُلْ	سَتَدْخُلُ	تَدْخُلُ	دَخَلْتَ	أَنْتَ
أُدْخُلي	سَتَدْخُلِينَ	تَدْخُلِينَ	دَخَلْتِ	أَنْتِ
أُدْخُلا	سَتَدْخُلانِ	تَدْخُلانِ	دَخَلْتُما	أَنْتُما
أُدْخُلوا	سَتَدْخُلونَ	تَدْخُلونَ	دَخَلْتُمْ	أَنْتُمْ
أُدْخُلْنَ	سَتَدْخُلْنَ	تَدْخُلْنَ	دَخَلْتُنَّ	أَنْتُنَّ
	سَنَدْخُلُ	نَدْخُلُ	دَخَلْنا	نَحْنُ
	سَيَدْخُلُ	يَدْخُلُ	دَخَلَ	هُوَ
	سَتَدْخُلُ	تَدْخُلُ	دَخَلَتْ	هِيَ
	سَيَدْخُلانِ	يَدْخُلانِ	دَخَلا	هُما
	سَتَدْخُلانِ	تَدْخُلانِ	دَخَلَتا	هُما
	سَيَدْخُلونَ	يَدْخُلونَ	دَخَلوا	هُمْ
	سَيَدْخُلْنَ	يَدْخُلْنَ	دَخَلْنَ	هُنَّ

Imperative	Future	Present	Past	
	سَأَسْقُطُ	أَسْقُطُ	سَقَطْتُ	أَنَا
أُسْقُطْ	سَتَسْقُطُ	تَسْقُطُ	سَقَطْتَ	أَنْتَ
أُسْقُطِي	سَتَسْقُطِينَ	تَسْقُطِينَ	سَقَطْتِ	أَنْتِ
أُسْقُطَا	سَتَسْقُطَانِ	تَسْقُطَانِ	سَقَطْتُمَا	أَنْتُمَا
أُسْقُطُوا	سَتَسْقُطُونَ	تَسْقُطُونَ	سَقَطْتُمْ	أَنْتُمْ
أُسْقُطْنَ	سَتَسْقُطْنَ	تَسْقُطْنَ	سَقَطْتُنَّ	أَنْتُنَّ
	سَنَسْقُطُ	نَسْقُطُ	سَقَطْنَا	نَحْنُ
	سَيَسْقُطُ	يَسْقُطُ	سَقَطَ	هُوَ
	سَتَسْقُطُ	تَسْقُطُ	سَقَطَتْ	هِيَ
	سَيَسْقُطَانِ	يَسْقُطَانِ	سَقَطَا	هُمَا
	سَتَسْقُطَانِ	تَسْقُطَانِ	سَقَطَتَا	هُمَا
	سَيَسْقُطُونَ	يَسْقُطُونَ	سَقَطُوا	هُمْ
	سَيَسْقُطْنَ	يَسْقُطْنَ	سَقَطْنَ	هُنَّ

Imperative	Future	Present	Past	
	سَأتَبارَى	أتَبارَى	تَبارَيْتُ	أنا
تبارَ	سَتَتَبارَى	تَتَبارَى	تَبارَيْتَ	أنْتَ
تباري	سَتَتَبارَيْنَ	تَتَبارَيْنَ	تَبارَيْتِ	أنْتِ
تبارَيا	سَتَتَبارَيانِ	تَتَبارَيانِ	تَبارَيْتُما	أنْتُما
تبارَوا	سَتَتَبارَوْنَ	تَتَبارَوْنَ	تَبارَيْتُمْ	أنْتُمْ
تبارَيْنَ	سَتَتَبارَيْنَ	تَتَبارَيْنَ	تَبارَيْتُنَّ	أنْتُنَّ
	سَنَتَبارَى	نَتَبارَى	تَبارَيْنا	نَحْنُ
	سَيَتَبارَى	يَتَبارَى	تَبارَى	هُوَ
	سَتَتَبارَى	تَتَبارَى	تَبارَتْ	هِيَ
	سَيَتَبارَيانِ	يَتَبارَيانِ	تَبارَيا	هُما
	سَتَتَبارَيانِ	تَتَبارَيانِ	تَبارَتا	هُما
	سَيَتَبارَوْنَ	يَتَبارَوْنَ	تَبارَوا	هُمْ
	سَيَتَبارَيْنَ	يَتَبارَيْنَ	تَبارَيْنَ	هُنَّ

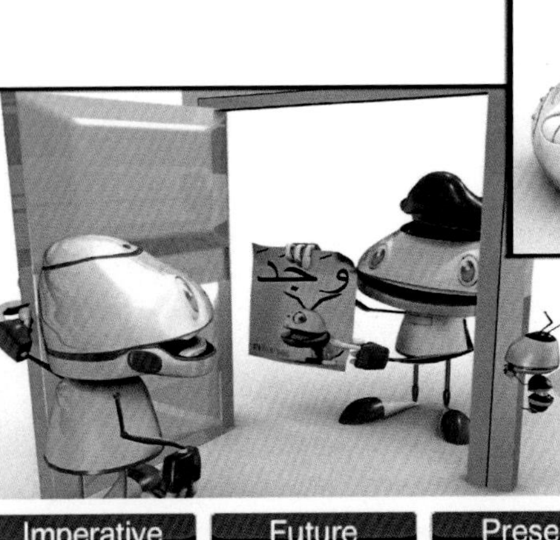

andyGARNICA

	Past	Present	Future	Imperative
أنا	وَجَدْتُ	أجِدُ	سَأجِدُ	
أنْتَ	وَجَدْتَ	تَجِدُ	سَتَجِدُ	جِدْ
أنْتِ	وَجَدْتِ	تَجِدينَ	سَتَجِدينَ	جِدي
أنْتُما	وَجَدْتُما	تَجِدانِ	سَتَجِدانِ	جِدا
أنْتُمْ	وَجَدْتُمْ	تَجِدونَ	سَتَجِدونَ	جِدوا
أنْتُنَّ	وَجَدْتُنَّ	تَجِدْنَ	سَتَجِدْنَ	جِدْنَ
نَحْنُ	وَجَدْنا	نَجِدُ	سَنَجِدُ	
هُوَ	وَجَدَ	يَجِدُ	سَيَجِدُ	
هِيَ	وَجَدَتْ	تَجِدُ	سَتَجِدُ	
هُما	وَجَدَا	يَجِدانِ	سَيَجِدانِ	
هُما	وَجَدَتا	تَجِدانِ	سَتَجِدانِ	
هُمْ	وَجَدوا	يَجِدونَ	سَيَجِدونَ	
هُنَّ	وَجَدْنَ	يَجِدْنَ	سَيَجِدْنَ	

Imperative	Future	Present	Past	
	سَأُنْهي	أُنْهي	أنْهَيْتُ	أنا
أنْهِ	سَتُنْهي	تُنْهي	أنْهَيْتَ	أنْتَ
أنْهي	سَتُنْهينَ	تُنْهينَ	أنْهَيْتِ	أنْتِ
أنْهِيا	سَتُنْهيانِ	تُنْهيانِ	أنْهَيْتُما	أنْتُما
أنْهوا	سَتُنْهونَ	تُنْهونَ	أنْهَيْتُمْ	أنْتُمْ
أنْهِينَ	سَتُنْهينَ	تُنْهينَ	أنْهَيْتُنَّ	أنْتُنَّ
	سَنُنْهي	نُنْهي	أنْهَيْنا	نَحْنُ
	سَيُنْهي	يُنْهي	أنْهَى	هُوَ
	سَتُنْهي	تُنْهي	أنْهَتْ	هِيَ
	سَيُنْهيانِ	يُنْهيانِ	أنْهَيا	هُما
	سَتُنْهيانِ	تُنْهيانِ	أنْهَتا	هُما
	سَيُنْهونَ	يُنْهونَ	أنْهوا	هُمْ
	سَيُنْهينَ	يُنْهينَ	أنْهَيْنَ	هُنَّ

andyGARNICA

Imperative	Future	Present	Past	
	سَأَتْبَعُ	أَتْبَعُ	تَبِعْتُ	أنا
اِتْبَعْ	سَتَتْبَعُ	تَتْبَعُ	تَبِعْتَ	أنْتَ
اِتْبَعْ	سَتَتْبَعِينَ	تَتْبَعِينَ	تَبِعْتِ	أنْتِ
اِتْبَعا	سَتَتْبَعانِ	تَتْبَعانِ	تَبِعْتُما	أنْتُما
اِتْبَعوا	سَتَتْبَعونَ	تَتْبَعونَ	تَبِعْتُمْ	أنْتُمْ
اِتْبَعْنَ	سَتَتْبَعْنَ	تَتْبَعْنَ	تَبِعْتُنَّ	أنْتُنَّ
	سَنَتْبَعُ	نَتْبَعُ	تَبِعْنا	نَحْنُ
	سَيَتْبَعُ	يَتْبَعُ	تَبِعَ	هُوَ
	سَتَتْبَعُ	تَتْبَعُ	تَبِعَتْ	هِيَ
	سَيَتْبَعانِ	يَتْبَعانِ	تَبِعا	هُما
	سَتَتْبَعانِ	تَتْبَعانِ	تَبِعَتا	هُما
	سَيَتْبَعونَ	يَتْبَعونَ	تَبِعوا	هُمْ
	سَيَتْبَعْنَ	يَتْبَعْنَ	تَبِعْنَ	هُنَّ

Imperative	Future	Present	Past	
	سَأَمْنَعُ	أَمْنَعُ	مَنَعْتُ	أنا
اِمْنَعْ	سَتَمْنَعُ	تَمْنَعُ	مَنَعْتَ	أَنْتَ
اِمْنَعي	سَتَمْنَعِينَ	تَمْنَعِينَ	مَنَعْتِ	أَنْتِ
اِمْنَعا	سَتَمْنَعانِ	تَمْنَعانِ	مَنَعْتُما	أَنْتُما
اِمْنَعوا	سَتَمْنَعونَ	تَمْنَعونَ	مَنَعْتُمْ	أَنْتُمْ
اِمْنَعْنَ	سَتَمْنَعْنَ	تَمْنَعْنَ	مَنَعْتُنَّ	أَنْتُنَّ
	سَنَمْنَعُ	نَمْنَعُ	مَنَعْنا	نَحْنُ
	سَيَمْنَعُ	يَمْنَعُ	مَنَعَ	هُوَ
	سَتَمْنَعُ	تَمْنَعُ	مَنَعَتْ	هِيَ
	سَيَمْنَعانِ	يَمْنَعانِ	مَنَعَا	هُما
	سَتَمْنَعانِ	تَمْنَعانِ	مَنَعَتا	هُما
	سَيَمْنَعونَ	يَمْنَعونَ	مَنَعوا	هُمْ
	سَيَمْنَعْنَ	يَمْنَعْنَ	مَنَعْنَ	هُنَّ

Imperative	Future	Present	Past	
	سَأنْسى	أنْسى	نَسيتُ	أنا
إنْسَ	سَتَنْسى	تَنْسى	نَسيتَ	أنْتَ
إنْسي	سَتَنْسينَ	تَنْسينَ	نَسيتِ	أنْتِ
إنْسَيا	سَتَنْسَيانِ	تَنْسَيانِ	نَسيتُما	أنْتُما
إنْسَوا	سَتَنْسَونَ	تَنْسَونَ	نَسيتُمْ	أنْتُمْ
إنْسَينَ	سَتَنْسَينَ	تَنْسَينَ	نَسيتُنَّ	أنْتُنَّ
	سَنَنْسى	نَنْسى	نَسينا	نَحْنُ
	سَيَنْسى	يَنْسى	نَسيَ	هُوَ
	سَتَنْسى	تَنْسى	نَسيَتْ	هِيَ
	سَيَنْسَيانِ	يَنْسَيانِ	نَسيا	هُما
	سَتَنْسَيانِ	تَنْسَيانِ	نَسيَتا	هُما
	سَيَنْسَونَ	يَنْسَونَ	نَسوا	هُمْ
	سَيَنْسَينَ	يَنْسَينَ	نَسينَ	هُنَّ

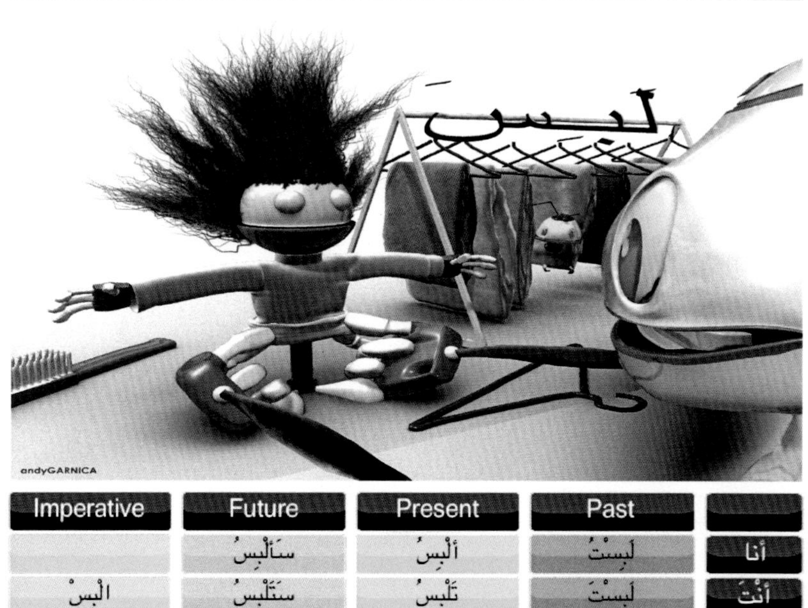

Imperative	Future	Present	Past	
	سَأَلْبِسُ	أَلْبِسُ	لَبِسْتُ	أنا
اِلْبِسْ	سَتَلْبِسُ	تَلْبِسُ	لَبِسْتَ	أَنْتَ
اِلْبِسِي	سَتَلْبِسِينَ	تَلْبِسِينَ	لَبِسْتِ	أَنْتِ
اِلْبِسَا	سَتَلْبِسَانِ	تَلْبِسَانِ	لَبِسْتُمَا	أَنْتُمَا
اِلْبِسُوا	سَتَلْبِسُونَ	تَلْبِسُونَ	لَبِسْتُمْ	أَنْتُمْ
اِلْبِسْنَ	سَتَلْبِسْنَ	تَلْبِسْنَ	لَبِسْتُنَّ	أَنْتُنَّ
	سَنَلْبِسُ	نَلْبِسُ	لَبِسْنَا	نَحْنُ
	سَيَلْبِسُ	يَلْبِسُ	لَبِسَ	هُوَ
	سَتَلْبِسُ	تَلْبِسُ	لَبِسَتْ	هِيَ
	سَيَلْبِسَانِ	يَلْبِسَانِ	لَبِسَا	هُمَا
	سَتَلْبِسَانِ	تَلْبِسَانِ	لَبِسَتَا	هُمَا
	سَيَلْبِسُونَ	يَلْبِسُونَ	لَبِسُوا	هُمْ
	سَيَلْبِسْنَ	يَلْبِسْنَ	لَبِسْنَ	هُنَّ

Imperative	Future	Present	Past	
	سَأَتَزَوَّجُ	أَتَزَوَّجُ	تَزَوَّجْتُ	أنا
تَزَوَّجْ	سَتَتَزَوَّجُ	تَتَزَوَّجُ	تَزَوَّجْتَ	أنْتَ
تَزَوَّجي	سَتَتَزَوَّجينَ	تَتَزَوَّجينَ	تَزَوَّجْتِ	أنْتِ
تَزَوَّجا	سَتَتَزَوَّجانِ	تَتَزَوَّجانِ	تَزَوَّجْتُما	أنْتُما
تَزَوَّجوا	سَتَتَزَوَّجونَ	تَتَزَوَّجونَ	تَزَوَّجْتُمْ	أنْتُمْ
تَزَوَّجْنَ	سَتَتَزَوَّجْنَ	تَتَزَوَّجْنَ	تَزَوَّجْتُنَّ	أنْتُنَّ
	سَنَتَزَوَّجُ	نَتَزَوَّجُ	تَزَوَّجْنا	نَحْنُ
	سَيَتَزَوَّجُ	يَتَزَوَّجُ	تَزَوَّجَ	هُوَ
	سَتَتَزَوَّجُ	تَتَزَوَّجُ	تَزَوَّجَتْ	هِيَ
	سَيَتَزَوَّجانِ	يَتَزَوَّجانِ	تَزَوَّجا	هُما
	سَتَتَزَوَّجانِ	تَتَزَوَّجانِ	تَزَوَّجَتا	هُما
	سَيَتَزَوَّجونَ	يَتَزَوَّجونَ	تَزَوَّجوا	هُمْ
	سَيَتَزَوَّجْنَ	يَتَزَوَّجْنَ	تَزَوَّجْنَ	هُنَّ

Imperative	Future	Present	Past	
	سَأُعْطي	أُعْطي	أعْطَيْتُ	أنا
أعْطِ	سَتُعْطي	تُعْطي	أعْطَيْتَ	أنْتَ
أعْطي	سَتُعْطينَ	تُعْطينَ	أعْطَيْتِ	أنْتِ
أعْطيا	سَتُعْطيانِ	تُعْطيانِ	أعْطَيْتُما	أنْتُما
أعْطوا	سَتُعْطونَ	تُعْطونَ	أعْطَيْتُمْ	أنْتُمْ
أعْطينَ	سَتُعْطينَ	تُعْطينَ	أعْطَيْتُنَّ	أنْتُنَّ
	سَنُعْطي	نُعْطي	أعْطَيْنا	نَحْنُ
	سَيُعْطي	يُعْطي	أعْطى	هُوَ
	سَتُعْطي	تُعْطي	أعْطَتْ	هِيَ
	سَيُعْطيانِ	يُعْطيانِ	أعْطَيا	هُما
	سَتُعْطيانِ	تُعْطيانِ	أعْطَتا	هُما
	سَيُعْطونَ	يُعْطونَ	أعْطوا	هُمْ
	سَيُعْطينَ	يُعْطينَ	أعْطَيْنَ	هُنَّ

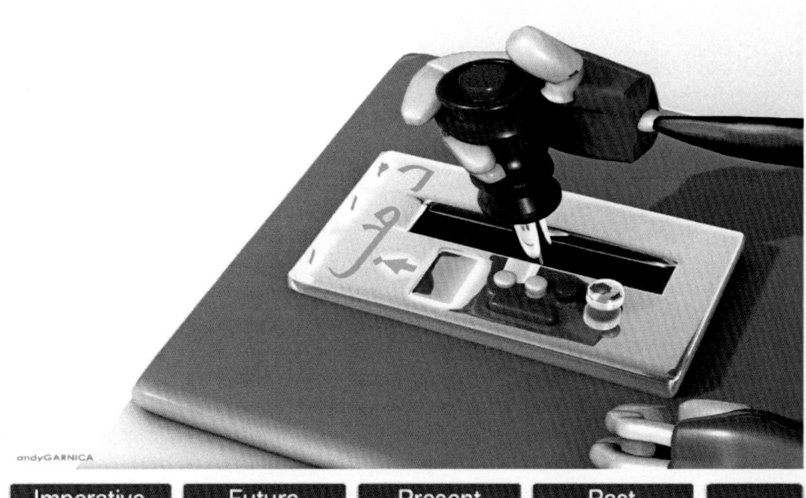

Imperative	Future	Present	Past	
	سَأَذْهَبُ	أَذْهَبُ	ذَهَبْتُ	أنا
اِذْهَبْ	سَتَذْهَبُ	تَذْهَبُ	ذَهَبْتَ	أَنْتَ
اِذْهَبي	سَتَذْهَبينَ	تَذْهَبينَ	ذَهَبْتِ	أَنْتِ
اِذْهَبا	سَتَذْهَبانِ	تَذْهَبانِ	ذَهَبْتُما	أَنْتُما
اِذْهَبوا	سَتَذْهَبونَ	تَذْهَبونَ	ذَهَبْتُمْ	أَنْتُمْ
اِذْهَبْنَ	سَتَذْهَبْنَ	تَذْهَبْنَ	ذَهَبْتُنَّ	أَنْتُنَّ
	سَنَذْهَبُ	نَذْهَبُ	ذَهَبْنا	نَحْنُ
	سَيَذْهَبُ	يَذْهَبُ	ذَهَبَ	هُوَ
	سَتَذْهَبُ	تَذْهَبُ	ذَهَبَتْ	هِيَ
	سَيَذْهَبانِ	يَذْهَبانِ	ذَهَبا	هُما
	سَتَذْهَبانِ	تَذْهَبانِ	ذَهَبَتا	هُما
	سَيَذْهَبونَ	يَذْهَبونَ	ذَهَبوا	هُمْ
	سَيَذْهَبْنَ	يَذْهَبْنَ	ذَهَبْنَ	هُنَّ

Imperative	Future	Present	Past	
	سَأَنْزِلُ	أَنْزِلُ	نَزَلْتُ	أنا
اِنْزِلْ	سَتَنْزِلُ	تَنْزِلُ	نَزَلْتَ	أَنْتَ
اِنْزِلي	سَتَنْزِلينَ	تَنْزِلينَ	نَزَلْتِ	أَنْتِ
اِنْزِلا	سَتَنْزِلانِ	تَنْزِلانِ	نَزَلْتُما	أَنْتُما
اِنْزِلوا	سَتَنْزِلونَ	تَنْزِلونَ	نَزَلْتُمْ	أَنْتُمْ
اِنْزِلْنَ	سَتَنْزِلْنَ	تَنْزِلْنَ	نَزَلْتُنَّ	أَنْتُنَّ
	سَنَنْزِلُ	نَنْزِلُ	نَزَلْنا	نَحْنُ
	سَيَنْزِلُ	يَنْزِلُ	نَزَلَ	هُوَ
	سَتَنْزِلُ	تَنْزِلُ	نَزَلَتْ	هِيَ
	سَيَنْزِلانِ	يَنْزِلانِ	نَزَلا	هُما
	سَتَنْزِلانِ	تَنْزِلانِ	نَزَلَتا	هُما
	سَيَنْزِلونَ	يَنْزِلونَ	نَزَلوا	هُمْ
	سَيَنْزِلْنَ	يَنْزِلْنَ	نَزَلْنَ	هُنَّ

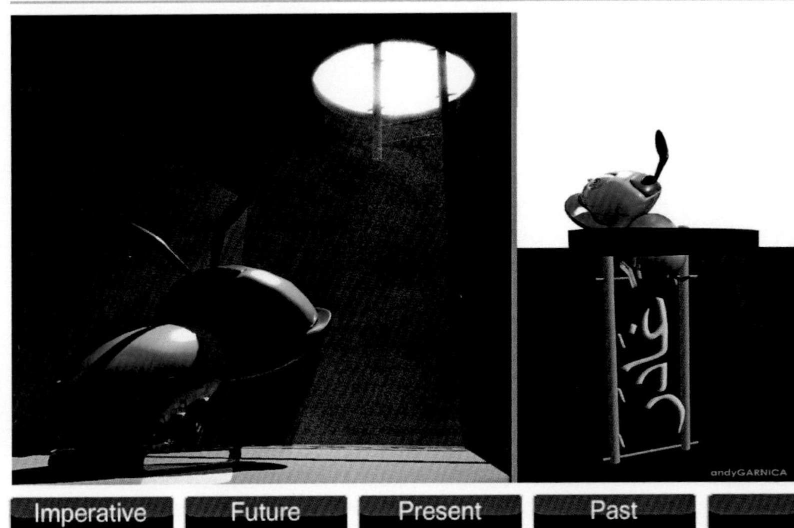

Imperative	Future	Present	Past	
	سَأُغادِرُ	أُغادِرُ	غادَرْتُ	أنا
غادِرْ	سَتُغادِرُ	تُغادِرُ	غادَرْتَ	أنْتَ
غادِري	سَتُغادِرينَ	تُغادِرينَ	غادَرْتِ	أنْتِ
غادِرا	سَتُغادِرانِ	تُغادِرانِ	غادَرْتُما	أنْتُما
غادِروا	سَتُغادِرونَ	تُغادِرونَ	غادَرْتُمْ	أنْتُمْ
غادِرْنَ	سَتُغادِرْنَ	تُغادِرْنَ	غادَرْتُنَّ	أنْتُنَّ
	سَنُغادِرُ	نُغادِرُ	غادَرْنا	نَحْنُ
	سَيُغادِرُ	يُغادِرُ	غادَرَ	هُوَ
	سَتُغادِرُ	تُغادِرُ	غادَرَتْ	هِيَ
	سَيُغادِرانِ	يُغادِرانِ	غادَرا	هُما
	سَيُغادِرانِ	تغادِرانِ	غادَرَتا	هُما
	سَيُغادِرونَ	يُغادِرونَ	غادَروا	هُمْ
	سَيُغادِرْنَ	يُغادِرْنَ	غادَرْنَ	هُنَّ

Imperative	Future	Present	Past	
	سَأَكْبُرُ	أَكْبُرُ	كَبُرْتُ	أنا
أُكْبُرْ	سَتَكْبُرُ	تَكْبُرُ	كَبُرْتَ	أنْتَ
أُكْبُرِي	سَتَكْبُرِينَ	تَكْبُرِينَ	كَبُرْتِ	أنْتِ
أُكْبُرا	سَتَكْبُرانِ	تَكْبُرانِ	كَبُرْتُما	أنْتُما
أُكْبُروا	سَتَكْبُرونَ	تَكْبُرونَ	كَبُرْتُمْ	أنْتُمْ
أُكْبُرْنَ	سَتَكْبُرْنَ	تَكْبُرْنَ	كَبُرْتُنَّ	أنْتُنَّ
	سَنَكْبُرُ	نَكْبُرُ	كَبُرْنا	نَحْنُ
	سَيَكْبُرُ	يَكْبُرُ	كَبُرَ	هُوَ
	سَتَكْبُرُ	تَكْبُرُ	كَبُرَتْ	هِيَ
	سَيَكْبُرانِ	يَكْبُرانِ	كَبُرا	هُما
	سَتَكْبُرانِ	تَكْبُرانِ	كَبُرَتا	هُما
	سَيَكْبُرونَ	يَكْبُرونَ	كَبُروا	هُمْ
	سَيَكْبُرْنَ	يَكْبُرْنَ	كَبُرْنَ	هُنَّ

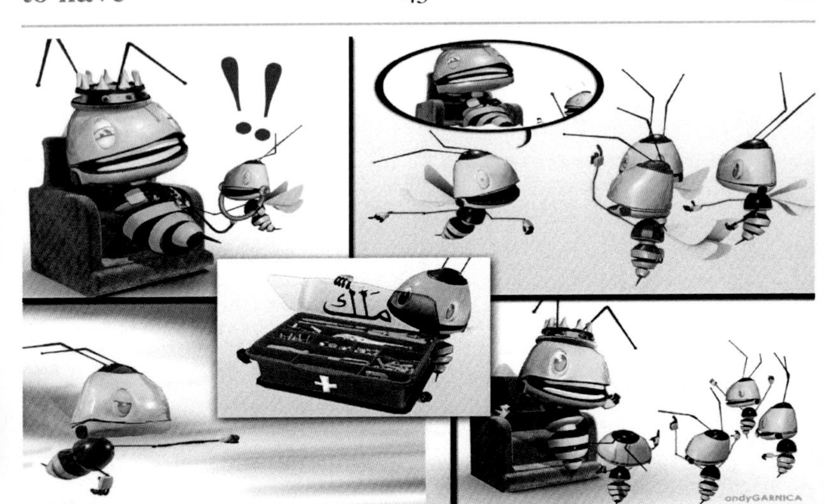

Imperative	Future	Present	Past	
	سَأَمْلُكُ	أَمْلُكُ	مَلَكْتُ	أنا
أُمْلُكْ	سَتَمْلُكُ	تَمْلُكُ	مَلَكْتَ	أَنْتَ
أُمْلُكي	سَتَمْلُكينَ	تَمْلُكينَ	مَلَكْتِ	أَنْتِ
أُمْلُكا	سَتَمْلُكانِ	تَمْلُكانِ	مَلَكْتُما	أَنْتُما
أُمْلُكوا	سَتَمْلُكونَ	تَمْلُكونَ	مَلَكْتُمْ	أَنْتُمْ
أُمْلُكْنَ	سَتَمْلُكْنَ	تَمْلُكْنَ	مَلَكْتُنَّ	أَنْتُنَّ
	سَنَمْلُكُ	نَمْلُكُ	مَلَكْنا	نَحْنُ
	سَيَمْلُكُ	يَمْلُكُ	مَلَكَ	هُوَ
	سَتَمْلُكُ	تَمْلُكُ	مَلَكَتْ	هِيَ
	سَيَمْلُكانِ	يَمْلُكانِ	مَلَكا	هُما
	سَتَمْلُكانِ	تَمْلُكانِ	مَلَكَتا	هُما
	سَيَمْلُكونَ	يَمْلُكونَ	مَلَكوا	هُمْ
	سَيَمْلُكْنَ	يَمْلُكْنَ	مَلَكْنَ	هُنَّ

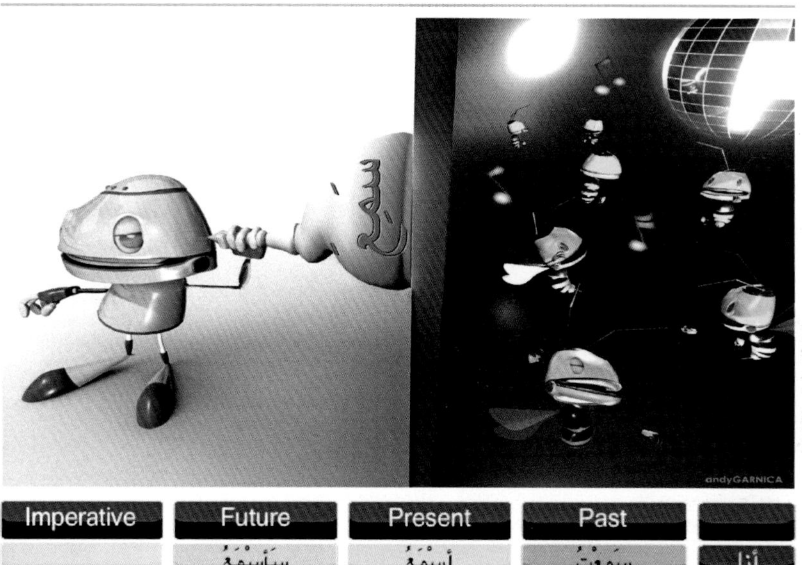

Imperative	Future	Present	Past	
	سَأَسْمَعُ	أَسْمَعُ	سَمِعْتُ	أنا
اِسْمَعْ	سَتَسْمَعُ	تَسْمَعُ	سَمِعْتَ	أنْتَ
اِسْمَعي	سَتَسْمَعينَ	تَسْمَعينَ	سَمِعْتِ	أنْتِ
اِسْمَعا	سَتَسْمَعانِ	تَسْمَعانِ	سَمِعْتُما	أنْتُما
اِسْمَعوا	سَتَسْمَعونَ	تَسْمَعونَ	سَمِعْتُمْ	أنْتُمْ
اِسْمَعْنَ	سَتَسْمَعْنَ	تَسْمَعْنَ	سَمِعْتُنَّ	أنْتُنَّ
	سَنَسْمَعُ	نَسْمَعُ	سَمِعْنا	نَحْنُ
	سَيَسْمَعُ	يَسْمَعُ	سَمِعَ	هُوَ
	سَتَسْمَعُ	تَسْمَعُ	سَمِعَتْ	هِيَ
	سَيَسْمَعانِ	يَسْمَعانِ	سَمِعَا	هُما
	سَتَسْمَعانِ	تَسْمَعانِ	سَمِعَتا	هُما
	سَيَسْمَعونَ	يَسْمَعونَ	سَمِعوا	هُمْ
	سَيَسْمَعْنَ	يَسْمَعْنَ	سَمِعْنَ	هُنَّ

Imperative	Future	Present	Past	
	سَأَقْفُزُ	أَقْفُزُ	قَفَزْتُ	أنا
اُقْفُزْ	سَتَقْفُزُ	تَقْفُزُ	قَفَزْتَ	أنْتَ
اُقْفُزِي	سَتَقْفُزِينَ	تَقْفُزِينَ	قَفَزْتِ	أنْتِ
اُقْفُزا	سَتَقْفُزانِ	تَقْفُزانِ	قَفَزْتُما	أنْتُما
اُقْفُزُوا	سَتَقْفُزُونَ	تَقْفُزُونَ	قَفَزْتُمْ	أنْتُمْ
اُقْفُزْنَ	سَتَقْفُزْنَ	تَقْفُزْنَ	قَفَزْتُنَّ	أنْتُنَّ
	سَنَقْفُزُ	نَقْفُزُ	قَفَزْنا	نَحْنُ
	سَيَقْفُزُ	يَقْفُزُ	قَفَزَ	هُوَ
	سَتَقْفُزُ	تَقْفُزُ	قَفَزَتْ	هِيَ
	سَيَقْفُزانِ	يَقْفُزانِ	قَفَزا	هُما
	سَتَقْفُزانِ	تَقْفُزانِ	قَفَزَتا	هُما
	سَيَقْفُزُونَ	يَقْفُزُونَ	قَفَزُوا	هُمْ
	سَيَقْفُزْنَ	يَقْفُزْنَ	قَفَزْنَ	هُنَّ

Imperative	Future	Present	Past	
	سَأرْكُلُ	أرْكُلُ	رَكَلْتُ	أنا
أُرْكُلْ	سَتَرْكُلُ	تَرْكُلُ	رَكَلْتَ	أنْتَ
أُرْكُلِي	سَتَرْكُلِينَ	تَرْكُلِينَ	رَكَلْتِ	أنْتِ
أُرْكُلا	سَتَرْكُلانِ	تَرْكُلانِ	رَكَلْتُما	أنْتُما
أُرْكُلوا	سَتَرْكُلونَ	تَرْكُلونَ	رَكَلْتُمْ	أنْتُمْ
أُرْكُلْنَ	سَتَرْكُلْنَ	تَرْكُلْنَ	رَكَلْتُنَّ	أنْتُنَّ
	سَنَرْكُلُ	نَرْكُلُ	رَكَلْنا	نَحْنُ
	سَيَرْكُلُ	يَرْكُلُ	رَكَلَ	هُوَ
	سَتَرْكُلُ	تَرْكُلُ	رَكَلَتْ	هِيَ
	سَيَرْكُلانِ	يَرْكُلانِ	رَكَلا	هُما
	سَتَرْكُلانِ	تَرْكُلانِ	رَكَلَتا	هُما
	سَيَرْكُلونَ	يَرْكُلونَ	رَكَلوا	هُمْ
	سَيَرْكُلْنَ	يَرْكُلْنَ	رَكَلْنَ	هُنَّ

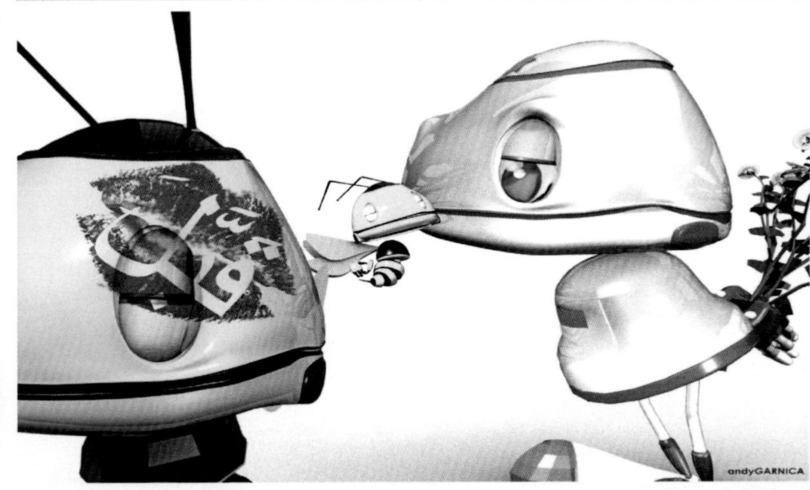

Imperative	Future	Present	Past	
	سَأُقَبِّلُ	أُقَبِّلُ	قَبَّلْتُ	أنا
قَبِّلْ	سَتُقَبِّلُ	تُقَبِّلُ	قَبَّلْتَ	أنْتَ
قَبِّلي	سَتُقَبِّلِينَ	تُقَبِّلِينَ	قَبَّلْتِ	أنْتِ
قَبِّلا	سَتُقَبِّلانِ	تُقَبِّلانِ	قَبَّلْتُما	أنْتُما
قَبِّلوا	سَتُقَبِّلونَ	تُقَبِّلونَ	قَبَّلْتُمْ	أنْتُمْ
قَبِّلْنَ	سَتُقَبِّلْنَ	تُقَبِّلْنَ	قَبَّلْتُنَّ	أنْتُنَّ
	سَنُقَبِّلُ	نُقَبِّلُ	قَبَّلْنا	نَحْنُ
	سَيُقَبِّلُ	يُقَبِّلُ	قَبَّلَ	هُوَ
	سَتُقَبِّلُ	تُقَبِّلُ	قَبَّلَتْ	هِيَ
	سَيُقَبِّلانِ	يُقَبِّلانِ	قَبَّلا	هُما
	سَتُقَبِّلانِ	تُقَبِّلانِ	قَبَّلَتا	هُما
	سَيُقَبِّلونَ	يُقَبِّلونَ	قَبَّلوا	هُمْ
	سَيُقَبِّلْنَ	يُقَبِّلْنَ	قَبَّلْنَ	هُنَّ

	Past	Present	Future	Imperative
أنا	عَرَفْتُ	أعْرِفُ	سَأعْرِفُ	
أنْتَ	عَرَفْتَ	تَعْرِفُ	سَتَعْرِفُ	اِعْرِفْ
أنْتِ	عَرَفْتِ	تَعْرِفينَ	سَتَعْرِفينَ	اِعْرِفي
أنْتُما	عَرَفْتُما	تَعْرِفانِ	سَتَعْرِفانِ	اِعْرِفا
أنْتُمْ	عَرَفْتُمْ	تَعْرِفونَ	سَتَعْرِفونَ	اِعْرِفوا
أنْتُنَّ	عَرَفْتُنَّ	تَعْرِفْنَ	سَتَعْرِفْنَ	اِعْرِفْنَ
نَحْنُ	عَرَفْنا	نَعْرِفُ	سَنَعْرِفُ	
هُوَ	عَرَفَ	يَعْرِفُ	سَيَعْرِفُ	
هِيَ	عَرَفَتْ	تَعْرِفُ	سَتَعْرِفُ	
هُما	عَرَفَا	يَعْرِفانِ	سَيَعْرِفانِ	
هُما	عَرَفَتا	تَعْرِفانِ	سَتَعْرِفانِ	
هُمْ	عَرَفوا	يَعْرِفونَ	سَيَعْرِفونَ	
هُنَّ	عَرَفْنَ	يَعْرِفْنَ	سَيَعْرِفْنَ	

Imperative	Future	Present	Past	
	سَأَتَعَلَّمُ	أَتَعَلَّمُ	تَعَلَّمْتُ	أنا
تَعَلَّمْ	سَتَتَعَلَّمُ	تَتَعَلَّمُ	تَعَلَّمْتَ	أنْتَ
تَعَلَّمي	سَتَتَعَلَّمينَ	تَتَعَلَّمينَ	تَعَلَّمْتِ	أنْتِ
تَعَلَّما	سَتَتَعَلَّمانِ	تَتَعَلَّمانِ	تَعَلَّمْتُما	أنْتُما
تَعَلَّموا	سَتَتَعَلَّمونَ	تَتَعَلَّمونَ	تَعَلَّمْتُمْ	أنْتُمْ
تَعَلَّمْنَ	سَتَتَعَلَّمْنَ	تَتَعَلَّمْنَ	تَعَلَّمْتنّ	أنْتنّ
	سَنَتَعَلَّمُ	نَتَعَلَّمُ	تَعَلَّمْنا	نَحْنُ
	سَيَتَعَلَّمُ	يَتَعَلَّمُ	تَعَلَّمَ	هُوَ
	سَتَتَعَلَّمُ	تَتَعَلَّمُ	تَعَلَّمَتْ	هِيَ
	سَيَتَعَلَّمانِ	يَتَعَلَّمانِ	تَعَلَّما	هُما
	سَتَتَعَلَّمانِ	تَتَعَلَّمانِ	تَعَلَّمَتا	هُما
	سَيَتَعَلَّمونَ	يَتَعَلَّمونَ	تَعَلَّموا	هُمْ
	سَيَتَعَلَّمْنَ	يَتَعَلَّمْنَ	تَعَلَّمْنَ	هُنَّ

Imperative	Future	Present	Past	
	سَأَكْذِبُ	أَكْذِبُ	كَذَبْتُ	أنا
إكْذِبْ	سَتَكْذِبُ	تَكْذِبُ	كَذَبْتَ	أنْتَ
إكْذِبي	سَتَكْذِبينَ	تَكْذِبينَ	كَذَبْتِ	أنْتِ
إكْذِبا	سَتَكْذِبانِ	تَكْذِبانِ	كَذَبْتُما	أنْتُما
إكْذِبوا	سَتَكْذِبونَ	تَكْذِبونَ	كَذَبْتُمْ	أنْتُمْ
إكْذِبْنَ	سَتَكْذِبْنَ	تَكْذِبْنَ	كَذَبْتُنَّ	أنْتُنَّ
	سَنَكْذِبُ	نَكْذِبُ	كَذَبْنا	نَحْنُ
	سَيَكْذِبُ	يَكْذِبُ	كَذَبَ	هُوَ
	سَتَكْذِبُ	تَكْذِبُ	كَذَبَتْ	هِيَ
	سَيَكْذِبانِ	يَكْذِبانِ	كَذَبا	هُما
	سَتَكْذِبانِ	تَكْذِبانِ	كَذَبَتا	هُما
	سَيَكْذِبونَ	يَكْذِبونَ	كَذَبوا	هُمْ
	سَيَكْذِبْنَ	يَكْذِبْنَ	كَذَبْنَ	هُنَّ

Imperative	Future	Present	Past	
	سَأُشْعِلُ	أُشْعِلُ	أشْعَلْتُ	أنا
أشْعِلْ	سَتُشْعِلُ	تُشْعِلُ	أشْعَلْتَ	أنْتَ
أشْعِلي	سَتُشْعِلينَ	تُشْعِلينَ	أشْعَلْتِ	أنْتِ
أشْعِلا	سَتُشْعِلانِ	تُشْعِلانِ	أشْعَلْتُما	أنْتُما
أشْعِلوا	سَتُشْعِلونَ	تُشْعِلونَ	أشْعَلْتُمْ	أنْتُمْ
أشْعِلْنَ	سَتُشْعِلْنَ	تُشْعِلْنَ	أشْعَلْتُنَّ	أنْتُنَّ
	سَنُشْعِلُ	نُشْعِلُ	أشْعَلْنا	نَحْنُ
	سَيُشْعِلُ	يُشْعِلُ	أشْعَلَ	هُوَ
	سَتُشْعِلُ	تُشْعِلُ	أشْعَلَتْ	هِيَ
	سَيُشْعِلانِ	يُشْعِلانِ	أشْعَلا	هُما
	سَتُشْعِلانِ	تُشْعِلانِ	أشْعَلَتا	هُما
	سَيُشْعِلونَ	يُشْعِلونَ	أشْعَلوا	هُمْ
	سَيُشْعِلْنَ	يُشْعِلْنَ	أشْعَلْنَ	هُنَّ

Imperative	Future	Present	Past	
	سَأَرْغَبُ	أرْغَبُ	رَغِبْتُ	أنا
اِرْغَبْ	سَتَرْغَبُ	تَرْغَبُ	رَغِبْتَ	أنْتَ
اِرْغَبي	سَتَرْغَبِينَ	تَرْغَبِينَ	رَغِبْتِ	أنْتِ
اِرْغَبا	سَتَرْغَبانِ	تَرْغَبانِ	رَغِبْتُما	أنْتُما
اِرْغَبوا	سَتَرْغَبونَ	تَرْغَبونَ	رَغِبْتُمْ	أنْتُمْ
اِرْغَبْنَ	سَتَرْغَبْنَ	تَرْغَبْنَ	رَغِبْتُنَّ	أنْتُنَّ
	سَنَرْغَبُ	نَرْغَبُ	رَغِبْنا	نَحْنُ
	سَيَرْغَبُ	يَرْغَبُ	رَغِبَ	هُوَ
	سَتَرْغَبُ	تَرْغَبُ	رَغِبَتْ	هِيَ
	سَيَرْغَبانِ	يَرْغَبانِ	رَغِبا	هُما
	سَتَرْغَبانِ	تَرْغَبانِ	رَغِبَتا	هُما
	سَيَرْغَبونَ	يَرْغَبونَ	رَغِبوا	هُمْ
	سَيَرْغَبْنَ	يَرْغَبْنَ	رَغِبْنَ	هُنَّ

Imperative	Future	Present	Past	
	سَأُضَيِّعُ	أُضَيِّعُ	ضَيَّعْتُ	أَنَا
ضَيِّعْ	سَتُضَيِّعُ	تُضَيِّعُ	ضَيَّعْتَ	أَنْتَ
ضَيِّعِي	سَتُضَيِّعِينَ	تُضَيِّعِينَ	ضَيَّعْتِ	أَنْتِ
ضَيِّعَا	سَتُضَيِّعَانِ	تُضَيِّعَانِ	ضَيَّعْتُمَا	أَنْتُمَا
ضَيِّعُوا	سَتُضَيِّعُونَ	تُضَيِّعُونَ	ضَيَّعْتُمْ	أَنْتُمْ
ضَيِّعْنَ	سَتُضَيِّعْنَ	تُضَيِّعْنَ	ضَيَّعْتُنَّ	أَنْتُنَّ
	سَنُضَيِّعُ	نُضَيِّعُ	ضَيَّعْنَا	نَحْنُ
	سَيُضَيِّعُ	يُضَيِّعُ	ضَيَّعَ	هُوَ
	سَتُضَيِّعُ	تُضَيِّعُ	ضَيَّعَتْ	هِيَ
	سَيُضَيِّعَانِ	يُضَيِّعَانِ	ضَيَّعَا	هُمَا
	سَتُضَيِّعَانِ	تُضَيِّعَانِ	ضَيَّعَتَا	هُمَا
	سَيُضَيِّعُونَ	يُضَيِّعُونَ	ضَيَّعُوا	هُمْ
	سَيُضَيِّعْنَ	يُضَيِّعْنَ	ضَيَّعْنَ	هُنَّ

Imperative	Future	Present	Past	
	سَأُحِبَّ	أُحِبَّ	أَحَبَبْتُ	أنا
أَحِبْ	سَتُحِبَّ	تُحِبَّ	أَحَبَبْتَ	أَنْتَ
أَحِبِّي	سَتُحِبِّينَ	تُحِبِّينَ	أَحَبَبْتِ	أَنْتِ
أَحِبَّا	سَتُحِبَّانِ	تُحِبَّانِ	أَحَبَبْتُما	أَنْتُما
أَحِبُّوا	سَتَحِبّونَ	تَحِبّونَ	أَحَبَبْتُمْ	أَنْتُمْ
أَحْبِبْنَ	سَتُحْبِبْنَ	تُحْبِبْنَ	أَحَبَبْتُنَّ	أَنْتُنَّ
	سَنُحِبَّ	نُحِبَّ	أَحَبَبْنا	نَحْنُ
	سَيُحِبَّ	يُحِبَّ	أَحَبَّ	هُوَ
	سَتُحِبَّ	تُحِبَّ	أَحَبَّتْ	هِيَ
	سَيُحِبّانِ	يُحِبّانِ	أَحَبّا	هُما
	سَتُحِبّانِ	تُحِبّانِ	أَحَبّتا	هُما
	سَيُحِبّونَ	يُحِبّونَ	أَحَبّوا	هُمْ
	سَيُحْبِبْنَ	يُحْبِبْنَ	أَحَبَبْنَ	هُنَّ

Imperative	Future	Present	Past	
	سَأَفْعَلُ	أَفْعَلُ	فَعَلْتُ	أنا
اِفْعَلْ	سَتَفْعَلُ	تَفْعَلُ	فَعَلْتَ	أَنْتَ
اِفْعَلي	سَتَفْعَلِينَ	تَفْعَلِينَ	فَعَلْتِ	أَنْتِ
اِفْعَلا	سَتَفْعَلانِ	تَفْعَلانِ	فَعَلْتُما	أَنْتُما
اِفْعَلوا	سَتَفْعَلونَ	تَفْعَلونَ	فَعَلْتُمْ	أَنْتُمْ
اِفْعَلْنَ	سَتَفْعَلْنَ	تَفْعَلْنَ	فَعَلْتُنَّ	أَنْتُنَّ
	سَنَفْعَلُ	نَفْعَلُ	فَعَلْنا	نَحْنُ
	سَيَفْعَلُ	يَفْعَلُ	فَعَلَ	هُوَ
	سَتَفْعَلُ	تَفْعَلُ	فَعَلَتْ	هِيَ
	سَيَفْعَلانِ	يَفْعَلانِ	فَعَلا	هُما
	سَتَفْعَلانِ	تَفْعَلانِ	فَعَلَتا	هُما
	سَيَفْعَلونَ	يَفْعَلونَ	فَعَلوا	هُمْ
	سَيَفْعَلْنَ	يَفْعَلْنَ	فَعَلْنَ	هُنَّ

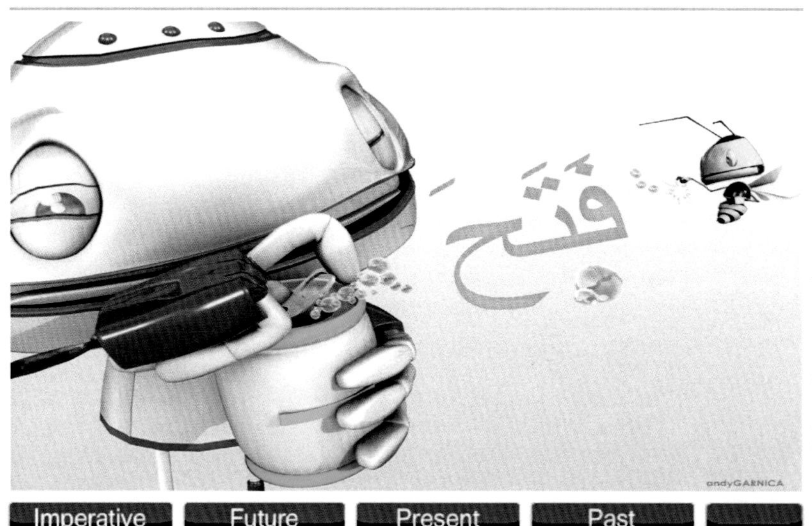

Imperative	Future	Present	Past	
	سَأَفْتَحُ	أَفْتَحُ	فَتَحْتُ	أنا
اِفْتَحْ	سَتَفْتَحُ	تَفْتَحُ	فَتَحْتَ	أَنْتَ
اِفْتَحي	سَتَفْتَحينَ	تَفْتَحينَ	فَتَحْتِ	أَنْتِ
اِفْتَحا	سَتَفْتَحانِ	تَفْتَحانِ	فَتَحْتُما	أَنْتُما
اِفْتَحوا	سَتَفْتَحونَ	تَفْتَحونَ	فَتَحْتُمْ	أَنْتُمْ
اِفْتَحنَ	سَتَفْتَحْنَ	تَفْتَحْنَ	فَتَحْتُنَّ	أَنْتُنَّ
	سَنَفْتَحُ	نَفْتَحُ	فَتَحْنا	نَحْنُ
	سَيَفْتَحُ	يَفْتَحُ	فَتَحَ	هُوَ
	سَتَفْتَحُ	تَفْتَحُ	فَتَحَتْ	هِيَ
	سَيَفْتَحانِ	يَفْتَحانِ	فَتَحا	هُما
	سَتَفْتَحانِ	تَفْتَحانِ	فَتَحَتا	هُما
	سَيَفْتَحونَ	يَفْتَحونَ	فَتَحوا	هُمْ
	سَيَفْتَحْنَ	يَفْتَحْنَ	فَتَحْنَ	هُنَّ

Imperative	Future	Present	Past	
	سَأُنَظِّمُ	أُنَظِّمُ	نَظَّمْتُ	أنا
نَظِّمْ	سَتُنَظِّمُ	تُنَظِّمُ	نَظَّمْتَ	أنْتَ
نَظِّمي	سَتُنَظِّمينَ	تُنَظِّمينَ	نَظَّمْتِ	أنْتِ
نَظِّما	سَتُنَظِّمانِ	تُنَظِّمانِ	نَظَّمْتُما	أنْتُما
نَظِّموا	سَتُنَظِّمونَ	تُنَظِّمونَ	نَظَّمْتُمْ	أنْتُمْ
نَظِّمْنَ	سَتُنَظِّمْنَ	تُنَظِّمْنَ	نَظَّمْتُنَّ	أنْتُنَّ
	سَنُنَظِّمُ	نُنَظِّمُ	نَظَّمْنا	نَحْنُ
	سَيُنَظِّمُ	يُنَظِّمُ	نَظَّمَ	هُوَ
	سَتُنَظِّمُ	تُنَظِّمُ	نَظَّمَتْ	هِيَ
	سَيُنَظِّمانِ	يُنَظِّمانِ	نَظَّما	هُما
	سَتُنَظِّمانِ	تُنَظِّمانِ	نَظَّمَتا	هُما
	سَيُنَظِّمونَ	يُنَظِّمونَ	نَظَّموا	هُمْ
	سَيُنَظِّمْنَ	يُنَظِّمْنَ	نَظَّمْنَ	هُنَّ

Imperative	Future	Present	Past	
	سَأَرْسُمُ	أَرْسُمُ	رَسَمْتُ	أنا
أُرْسُمْ	سَتَرْسُمُ	تَرْسُمُ	رَسَمْتَ	أنْتَ
أُرْسُمِي	سَتَرْسُمِينَ	تَرْسُمِينَ	رَسَمْتِ	أنْتِ
أُرْسُما	سَتَرْسُمانِ	تَرْسُمانِ	رَسَمْتُما	أنْتُما
أُرْسُموا	سَتَرْسُمونَ	تَرْسُمونَ	رَسَمْتُمْ	أنْتُمْ
أُرْسُمْنَ	سَتَرْسُمْنَ	تَرْسُمْنَ	رَسَمْتُنَّ	أنْتُنَّ
	سَنَرْسُمُ	نَرْسُمُ	رَسَمْنا	نَحْنُ
	سَيَرْسُمُ	يَرْسُمُ	رَسَمَ	هُوَ
	سَتَرْسُمُ	تَرْسُمُ	رَسَمَتْ	هِيَ
	سَيَرْسُمانِ	يَرْسُمانِ	رَسَما	هُما
	سَتَرْسُمانِ	تَرْسُمانِ	رَسَمَتا	هُما
	سَيَرْسُمونَ	يَرْسُمونَ	رَسَموا	هُمْ
	سَيَرْسُمْنَ	يَرْسُمْنَ	رَسَمْنَ	هُنَّ

Imperative	Future	Present	Past	
	سَأَدْفَعُ	أدفَعُ	دَفَعْتُ	أنا
اِدْفَعْ	سَتَدْفَعُ	تَدْفَعُ	دَفَعْتَ	أنْتَ
اِدْفَعي	سَتَدْفَعينَ	تَدْفَعينَ	دَفَعْتِ	أنْتِ
اِدْفَعا	سَتَدْفَعانِ	تَدْفَعانِ	دَفَعْتُما	أنْتُما
اِدْفَعوا	سَتَدْفَعونَ	تَدْفَعونَ	دَفَعْتُمْ	أنْتُمْ
اِدْفَعْنَ	سَتَدْفَعْنَ	تَدْفَعْنَ	دَفَعْتُنَّ	أنْتُنَّ
	سَنَدْفَعُ	نَدْفَعُ	دَفَعْنا	نَحْنُ
	سَيَدْفَعُ	يَدْفَعُ	دَفَعَ	هُوَ
	سَتَدْفَعُ	تَدْفَعُ	دَفَعَتْ	هِيَ
	سَيَدْفَعانِ	يَدْفَعانِ	دَفَعا	هُما
	سَتَدْفَعانِ	تَدْفَعانِ	دَفَعَتا	هُما
	سَيَدْفَعونَ	يَدْفَعونَ	دَفَعوا	هُمْ
	سَيَدْفَعْنَ	يَدْفَعْنَ	دَفَعْنَ	هُنَّ

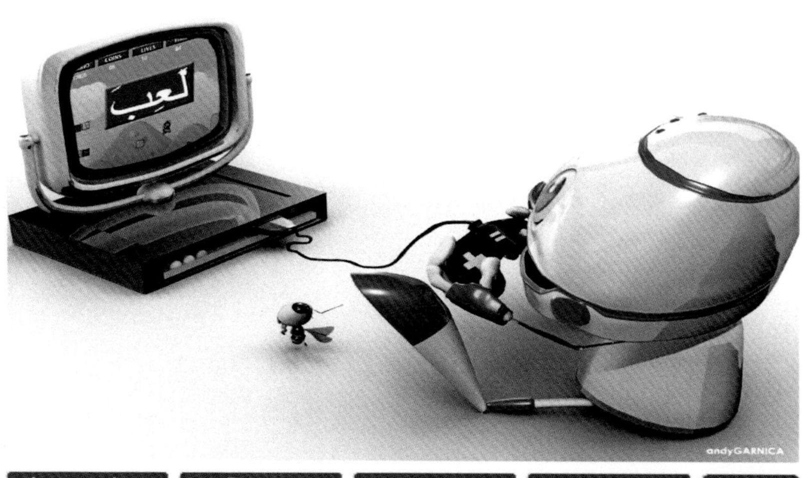

Imperative	Future	Present	Past	
	سَأَلْعَبُ	أَلْعَبُ	لَعِبْتُ	أنا
اِلْعَبْ	سَتَلْعَبُ	تَلْعَبُ	لَعِبْتَ	أنْتَ
اِلْعَبِي	سَتَلْعَبِينَ	تَلْعَبِينَ	لَعِبْتِ	أنْتِ
اِلْعَبا	سَتَلْعَبانِ	تَلْعَبانِ	لَعِبْتُما	أنْتُما
اِلْعَبوا	سَتَلْعَبونَ	تَلْعَبونَ	لَعِبْتُمْ	أنْتُمْ
اِلْعَبْنَ	سَتَلْعَبْنَ	تَلْعَبْنَ	لَعِبْتُنَّ	أنْتُنَّ
	سَنَلْعَبُ	نَلْعَبُ	لَعِبْنا	نَحْنُ
	سَيَلْعَبُ	يَلْعَبُ	لَعِبَ	هُوَ
	سَتَلْعَبُ	تَلْعَبُ	لَعِبَتْ	هِيَ
	سَيَلْعَبانِ	يَلْعَبانِ	لَعِبا	هُما
	سَتَلْعَبانِ	تَلْعَبانِ	لَعِبَتا	هُما
	سَيَلْعَبونَ	يَلْعَبونَ	لَعِبوا	هُمْ
	سَيَلْعَبْنَ	يَلْعَبْنَ	لَعِبْنَ	هُنَّ

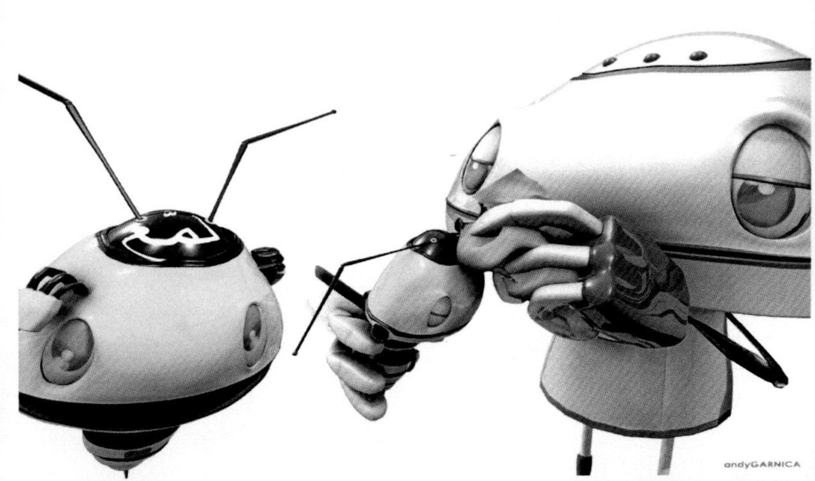

Imperative	Future	Present	Past	
	سَأُلَمِّعُ	أُلَمِّعُ	لَمَّعْتُ	أنا
لَمِّعْ	سَتُلَمِّعُ	تُلَمِّعُ	لَمَّعْتَ	أنْتَ
لَمِّعِي	سَتُلَمِّعِينَ	تُلَمِّعِينَ	لَمَّعْتِ	أنْتِ
لَمِّعَا	سَتُلَمِّعَانِ	تُلَمِّعَانِ	لَمَّعْتُمَا	أنْتُما
لَمِّعُوا	سَتُلَمِّعُونَ	تُلَمِّعُونَ	لَمَّعْتُمْ	أنْتُمْ
لَمِّعْنَ	سَتُلَمِّعْنَ	تُلَمِّعْنَ	لَمَّعْتُنَّ	أنْتُنَّ
	سَنُلَمِّعُ	نُلَمِّعُ	لَمَّعْنَا	نَحْنُ
	سَيُلَمِّعُ	يُلَمِّعُ	لَمَّعَ	هُوَ
	سَتُلَمِّعُ	تُلَمِّعُ	لَمَّعَتْ	هِيَ
	سَيُلَمِّعَانِ	يُلَمِّعَانِ	لَمَّعَا	هُما
	سَتُلَمِّعَانِ	تُلَمِّعَانِ	لَمَّعَتَا	هُما
	سَيُلَمِّعُونَ	يُلَمِّعُونَ	لَمَّعُوا	هُمْ
	سَيُلَمِّعْنَ	يُلَمِّعْنَ	لَمَّعْنَ	هُنَّ

Imperative	Future	Present	Past	
	سَأَضَعُ	أَضَعُ	وَضَعْتُ	أنا
ضَعْ	سَتَضَعُ	تَضَعُ	وَضَعْتَ	أنْتَ
ضَعْي	سَتَضَعينَ	تَضَعينَ	وَضَعْتِ	أنْتِ
ضَعا	سَتَضَعانِ	تَضَعانِ	وَضَعْتُما	أنْتُما
ضَعوا	سَتَضَعونَ	تَضَعونَ	وَضَعْتُمْ	أنْتُم
ضَعْنَ	سَتَضَعْنَ	تَضَعْنَ	وَضَعْتنَّ	أنْتنَّ
	سَنَضَعُ	نَضَعُ	وَضَعْنا	نَحْنُ
	سَيَضَعُ	يَضَعُ	وَضَعَ	هُوَ
	سَتَضَعُ	تَضَعُ	وَضَعَتْ	هِيَ
	سَيَضَعانِ	يَضَعانِ	وَضَعَا	هُما
	سَتَضَعانِ	تَضَعانِ	وَضَعَتا	هُما
	سَيَضَعونَ	يَضَعونَ	وَضَعوا	هُمْ
	سَيَضَعْنَ	يَضَعْنَ	وَضَعْنَ	هُنَّ

Imperative	Future	Present	Past	
	سَأَتْرُكُ	أَتْرُكُ	تَرَكْتُ	أنا
أُتْرُكْ	سَتَتْرُكُ	تَتْرُكُ	تَرَكْتَ	أنْتَ
أُتْرُكي	سَتَتْرُكينَ	تَتْرُكينَ	تَرَكْتِ	أنْتِ
أُتْرُكا	سَتَتْرُكانِ	تَتْرُكانِ	تَرَكْتُما	أنْتُما
أُتْرُكوا	سَتَتْرُكونَ	تَتْرُكونَ	تَرَكْتُمْ	أنْتُمْ
أُتْرُكْنَ	سَتَتْرُكْنَ	تَتْرُكْنَ	تَرَكْتُنَّ	أنْتُنَّ
	سَنَتْرُكُ	نَتْرُكُ	تَرَكْنا	نَحْنُ
	سَيَتْرُكُ	يَتْرُكُ	تَرَكَ	هُوَ
	سَتَتْرُكُ	تَتْرُكُ	تَرَكَتْ	هِيَ
	سَيَتْرُكانِ	يَتْرُكانِ	تَرَكا	هُما
	سَتَتْرُكانِ	تَتْرُكانِ	تَرَكَتا	هُما
	سَيَتْرُكونَ	يَتْرُكونَ	تَرَكوا	هُمْ
	سَيَتْرُكْنَ	يَتْرُكْنَ	تَرَكْنَ	هُنَّ

Imperative	Future	Present	Past	
	سَأُمْطِرُ	أُمْطِرُ	أمْطَرْتُ	أنا
أمْطِرْ	سَتُمْطِرُ	تُمْطِرُ	أمْطَرْتَ	أنْتَ
أمْطِري	سَتُمْطِرينَ	تُمْطِرينَ	أمْطَرْتِ	أنْتِ
أمْطِرا	سَتُمْطِرانِ	تُمْطِرانِ	أمْطَرْتُما	أنْتُما
أمْطِروا	سَتُمْطِرونَ	تُمْطِرونَ	أمْطَرْتُمْ	أنْتُمْ
أمْطِرْنَ	سَتُمْطِرْنَ	تُمْطِرْنَ	أمْطَرْتُنَّ	أنْتُنَّ
	سَنُمْطِرُ	نُمْطِرُ	أمْطَرْنا	نَحْنُ
	سَيُمْطِرُ	يُمْطِرُ	أمْطَرَ	هُوَ
	سَتُمْطِرُ	تُمْطِرُ	أمْطَرَتْ	هِيَ
	سَيُمْطِرانِ	يُمْطِرانِ	أمْطَرا	هُما
	سَتُمْطِرانِ	تُمْطِرانِ	أمْطَرَتا	هُما
	سَيُمْطِرونَ	يُمْطِرونَ	أمْطَروا	هُمْ
	سَيُمْطِرْنَ	يُمْطِرْنَ	أمْطَرْنَ	هُنَّ

Imperative	Future	Present	Past	
	سَأَقْرَأُ	أَقْرَأُ	قَرَأْتُ	أنا
اِقْرَأْ	سَتَقْرَأُ	تَقْرَأُ	قَرَأْتَ	أنْتَ
اِقْرَئي	سَتَقْرَئينَ	تَقْرَئينَ	قَرَأْتِ	أنْتِ
اِقْرَآ	سَتَقْرَآنِ	تَقْرَآنِ	قَرَأْتُما	أنْتُما
اِقْرَؤوا	سَتَقْرَؤونَ	تَقْرَؤونَ	قَرَأْتُمْ	أنْتُمْ
اِقْرَأْنَ	سَتَقْرَأْنَ	تَقْرَأْنَ	قَرَأْتُنَّ	أنْتُنَّ
	سَنَقْرَأُ	نَقْرَأُ	قَرَأْنا	نَحْنُ
	سَيَقْرَأُ	يَقْرَأُ	قَرَأَ	هُوَ
	سَتَقْرَأُ	تَقْرَأُ	قَرَأَتْ	هِيَ
	سَيَقْرَآنِ	يَقْرَآنِ	قَرَآ	هُما
	سَتَقْرَآنِ	تَقْرَآنِ	قَرَأَتا	هُما
	سَيَقْرَؤونَ	يَقْرَؤونَ	قَرَؤوا	هُمْ
	سَيَقْرَأْنَ	يَقْرَأْنَ	قَرَأْنَ	هُنَّ

Imperative	Future	Present	Past	
	سَأَسْتَقْبِلُ	أَسْتَقْبِلُ	اِسْتَقْبَلْتُ	أنا
اِسْتَقْبِلْ	سَتَسْتَقْبِلُ	تَسْتَقْبِلُ	اِسْتَقْبَلْتَ	أنْتَ
اِسْتَقْبِلِي	سَتَسْتَقْبِلِينَ	تَسْتَقْبِلِينَ	اِسْتَقْبَلْتِ	أنْتِ
اِسْتَقْبِلَا	سَتَسْتَقْبِلَانِ	تَسْتَقْبِلَانِ	اِسْتَقْبَلْتُمَا	أنْتُما
اِسْتَقْبِلُوا	سَتَسْتَقْبِلُونَ	تَسْتَقْبِلُونَ	اِسْتَقْبَلْتُمْ	أنْتُمْ
اِسْتَقْبِلْنَ	سَتَسْتَقْبِلْنَ	تَسْتَقْبِلْنَ	اِسْتَقْبَلْتُنَّ	أنْتُنَّ
	سَنَسْتَقْبِلُ	نَسْتَقْبِلُ	اِسْتَقْبَلْنَا	نَحْنُ
	سَيَسْتَقْبِلُ	يَسْتَقْبِلُ	اِسْتَقْبَلَ	هُوَ
	سَتَسْتَقْبِلُ	تَسْتَقْبِلُ	اِسْتَقْبَلَتْ	هِيَ
	سَيَسْتَقْبِلَانِ	يَسْتَقْبِلَانِ	اِسْتَقْبَلَا	هُما
	سَتَسْتَقْبِلَانِ	تَسْتَقْبِلَانِ	اِسْتَقْبَلَتَا	هُما
	سَيَسْتَقْبِلُونَ	يَسْتَقْبِلُونَ	اِسْتَقْبَلُوا	هُمْ
	سَيَسْتَقْبِلْنَ	يَسْتَقْبِلْنَ	اِسْتَقْبَلْنَ	هُنَّ

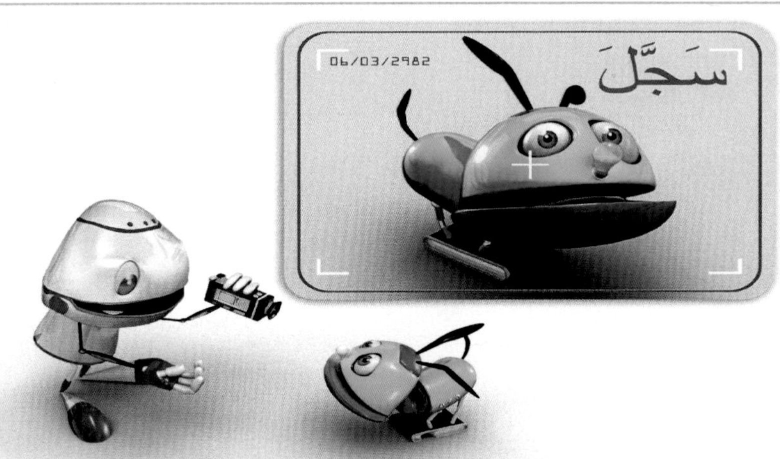

Imperative	Future	Present	Past	
	سَأُسَجِّلُ	أُسَجِّلُ	سَجَّلْتُ	أنا
سَجِّلْ	سَتُسَجِّلُ	تُسَجِّلُ	سَجَّلْتَ	أَنْتَ
سَجِّلِي	سَتُسَجِّلِينَ	تُسَجِّلِينَ	سَجَّلْتِ	أَنْتِ
سَجِّلَا	سَتُسَجِّلَانِ	تُسَجِّلَانِ	سَجَّلْتُمَا	أَنْتُمَا
سَجِّلُوا	سَتُسَجِّلُونَ	تُسَجِّلُونَ	سَجَّلْتُمْ	أَنْتُمْ
سَجِّلْنَ	سَتُسَجِّلْنَ	تُسَجِّلْنَ	سَجَّلْتُنَّ	أَنْتُنَّ
	سَنُسَجِّلُ	نُسَجِّلُ	سَجَّلْنَا	نَحْنُ
	سَيُسَجِّلُ	يُسَجِّلُ	سَجَّلَ	هُوَ
	سَتُسَجِّلُ	تُسَجِّلُ	سَجَّلَتْ	هِيَ
	سَيُسَجِّلَانِ	يُسَجِّلَانِ	سَجَّلَا	هُمَا
	سَتُسَجِّلَانِ	تُسَجِّلَانِ	سَجَّلَتَا	هُمَا
	سَيُسَجِّلُونَ	يُسَجِّلُونَ	سَجَّلُوا	هُمْ
	سَيُسَجِّلْنَ	يُسَجِّلْنَ	سَجَّلْنَ	هُنَّ

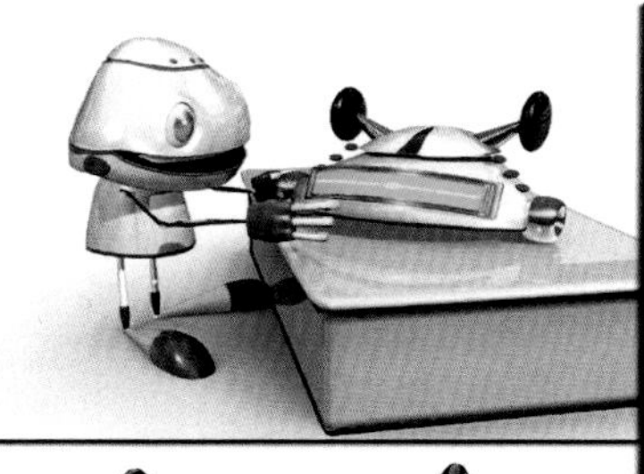

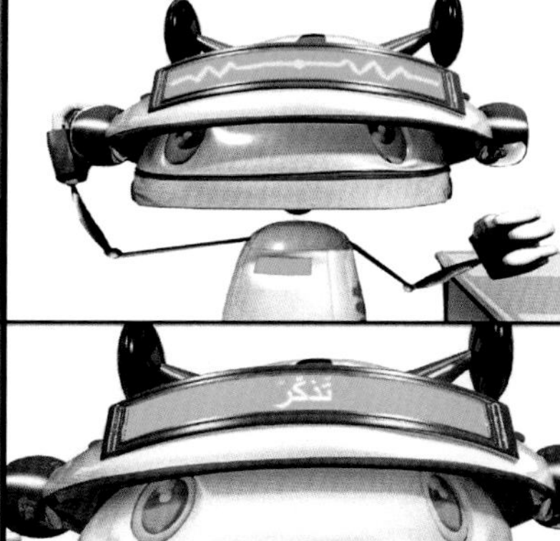

Imperative	Future	Present	Past	
	سَأَتَذَكَّرُ	أَتَذَكَّرُ	تَذَكَّرْتُ	أنا
تَذَكَّرْ	سَتَتَذَكَّرُ	تَتَذَكَّرُ	تَذَكَّرْتَ	أنْتَ
تَذَكَّرِي	سَتَتَذَكَّرِينَ	تَتَذَكَّرِينَ	تَذَكَّرْتِ	أنْتِ
تَذَكَّرا	سَتَتَذَكَّرانِ	تَتَذَكَّرانِ	تَذَكَّرْتُما	أنْتُما
تَذَكَّرُوا	سَتَتَذَكَّرُونَ	تَتَذَكَّرُونَ	تَذَكَّرْتُمْ	أنْتُمْ
تَذَكَّرْنَ	سَتَتَذَكَّرْنَ	تَتَذَكَّرْنَ	تَذَكَّرْتُنَّ	أنْتُنَّ
	سَنَتَذَكَّرُ	نَتَذَكَّرُ	تَذَكَّرْنا	نَحْنُ
	سَيَتَذَكَّرُ	يَتَذَكَّرُ	تَذَكَّرَ	هُوَ
	سَتَتَذَكَّرُ	تَتَذَكَّرُ	تَذَكَّرَتْ	هِيَ
	سَيَتَذَكَّرانِ	يَتَذَكَّرانِ	تَذَكَّرا	هُما
	سَتَتَذَكَّرانِ	تَتَذَكَّرانِ	تَذَكَّرَتا	هُما
	سَيَتَذَكَّرُونَ	يَتَذَكَّرُونَ	تَذَكَّرُوا	هُمْ
	سَيَتَذَكَّرْنَ	يَتَذَكَّرْنَ	تَذَكَّرْنَ	هُنَّ

Imperative	Future	Present	Past	
	سَأُصَلِّحُ	أُصَلِّحُ	صَلَّحْتُ	أنا
صَلِّحْ	سَتُصَلِّحُ	تُصَلِّحُ	صَلَّحْتَ	أَنْتَ
صَلِّحِي	سَتُصَلِّحِينَ	تُصَلِّحِينَ	صَلَّحْتِ	أَنْتِ
صَلِّحَا	سَتُصَلِّحَانِ	تُصَلِّحَانِ	صَلَّحْتُمَا	أَنْتُمَا
صَلِّحُوا	سَتُصَلِّحُونَ	تُصَلِّحُونَ	صَلَّحْتُمْ	أَنْتُمْ
صَلِّحْنَ	سَتُصَلِّحْنَ	تُصَلِّحْنَ	صَلَّحْتُنَّ	أَنْتُنَّ
	سَنُصَلِّحُ	نُصَلِّحُ	صَلَّحْنَا	نَحْنُ
	سَيُصَلِّحُ	يُصَلِّحُ	صَلَّحَ	هُوَ
	سَتُصَلِّحُ	تُصَلِّحُ	صَلَّحَتْ	هِيَ
	سَيُصَلِّحَانِ	يُصَلِّحَانِ	صَلَّحَا	هُمَا
	سَتُصَلِّحَانِ	تُصَلِّحَانِ	صَلَّحَتَا	هُمَا
	سَيُصَلِّحُونَ	يُصَلِّحُونَ	صَلَّحُوا	هُمْ
	سَيُصَلِّحْنَ	يُصَلِّحْنَ	صَلَّحْنَ	هُنَّ

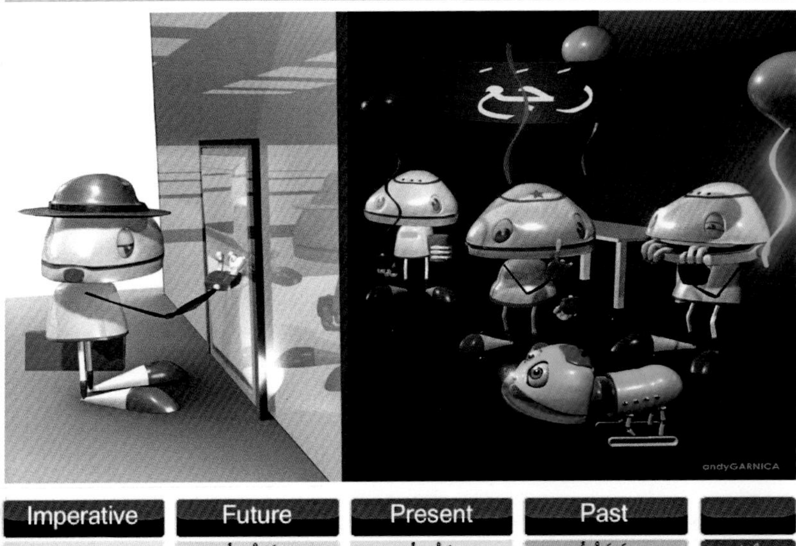

Imperative	Future	Present	Past	
	سَأَرْجِعُ	أرْجِعُ	رَجَعْتُ	أنا
اِرْجِعْ	سَتَرْجِعُ	تَرْجِعُ	رَجَعْتَ	أنْتَ
اِرْجِعِي	سَتَرْجِعِينَ	تَرْجِعِينَ	رَجَعْتِ	أنْتِ
اِرْجِعَا	سَتَرْجِعَانِ	تَرْجِعَانِ	رَجَعْتُمَا	أنْتُمَا
اِرْجِعُوا	سَتَرْجِعُونَ	تَرْجِعُونَ	رَجَعْتُمْ	أنْتُمْ
اِرْجِعْنَ	سَتَرْجِعْنَ	تَرْجِعْنَ	رَجَعْتُنَّ	أنْتُنَّ
	سَنَرْجِعُ	نَرْجِعُ	رَجَعْنَا	نَحْنُ
	سَيَرْجِعُ	يَرْجِعُ	رَجَعَ	هُوَ
	سَتَرْجِعُ	تَرْجِعُ	رَجَعَتْ	هِيَ
	سَيَرْجِعَانِ	يَرْجِعَانِ	رَجَعَا	هُمَا
	سَتَرْجِعَانِ	تَرْجِعَانِ	رَجَعَتَا	هُمَا
	سَيَرْجِعُونَ	يَرْجِعُونَ	رَجَعُوا	هُمْ
	سَيَرْجِعْنَ	يَرْجِعْنَ	رَجَعْنَ	هُنَّ

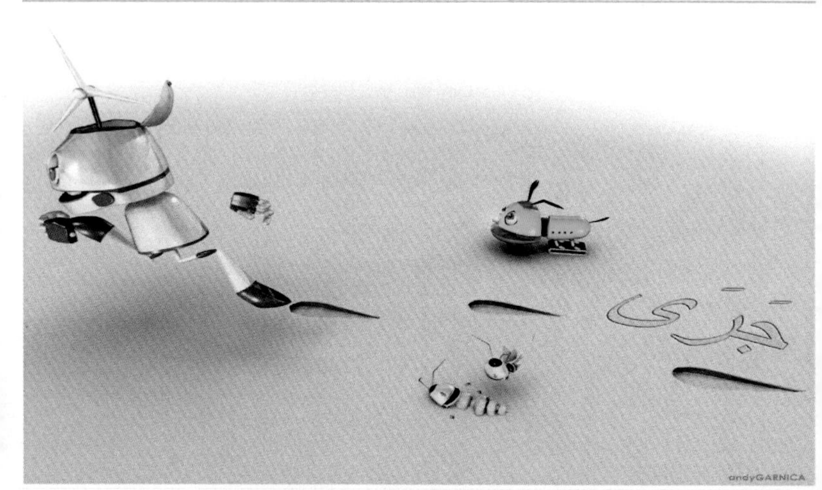

Imperative	Future	Present	Past	
	سَأجْري	أجْري	جَرَيْتُ	أنا
اِجْرِ	سَتَجْري	تَجْري	جَرَيْتَ	أنْتَ
اِجْري	سَتَجْرينَ	تَجْرينَ	جَرَيْتِ	أنْتِ
اِجْريا	سَتَجْريانِ	تَجْريانِ	جَرَيْتُما	أنْتُما
اِجْروا	سَتَجْرونَ	تَجْرونَ	جَرَيْتُمْ	أنْتُمْ
اِجْرينَ	سَتَجْرينَ	تَجْرينَ	جَرَيْتُنَّ	أنْتُنَّ
	سَنَجْري	نَجْري	جَرَيْنا	نَحْنُ
	سَيَجْري	يَجْري	جَرَى	هُوَ
	سَتَجْري	تَجْري	جَرَتْ	هِيَ
	سَيَجْريانِ	يَجْريانِ	جَرَيا	هُما
	سَتَجْريانِ	تَجْريانِ	جَرَتا	هُما
	سَيَجْرونَ	يَجْرونَ	جَرَوا	هُمْ
	سَيَجْرينَ	يَجْرينَ	جَرَيْنَ	هُنَّ

Imperative	Future	Present	Past	
	سَأَصْرُخُ	أَصْرُخُ	صَرَخْتُ	أنا
أُصْرُخْ	سَتَصْرُخُ	تَصْرُخُ	صَرَخْتَ	أَنْتَ
أُصْرُخِي	سَتَصْرُخِينَ	تَصْرُخِينَ	صَرَخْتِ	أَنْتِ
أُصْرُخَا	سَتَصْرُخَانِ	تَصْرُخَانِ	صَرَخْتُمَا	أَنْتُمَا
أُصْرُخُوا	سَتَصْرُخُونَ	تَصْرُخُونَ	صَرَخْتُمْ	أَنْتُمْ
أُصْرُخْنَ	سَتَصْرُخْنَ	تَصْرُخْنَ	صَرَخْتُنَّ	أَنْتُنَّ
	سَنَصْرُخُ	نَصْرُخُ	صَرَخْنَا	نَحْنُ
	سَيَصْرُخُ	يَصْرُخُ	صَرَخَ	هُوَ
	سَتَصْرُخُ	تَصْرُخُ	صَرَخَتْ	هِيَ
	سَيَصْرُخَانِ	يَصْرُخَانِ	صَرَخَا	هُمَا
	سَتَصْرُخَانِ	تَصْرُخَانِ	صَرَخَتَا	هُمَا
	سَيَصْرُخُونَ	يَصْرُخُونَ	صَرَخُوا	هُمْ
	سَيَصْرُخْنَ	يَصْرُخْنَ	صَرَخْنَ	هُنَّ

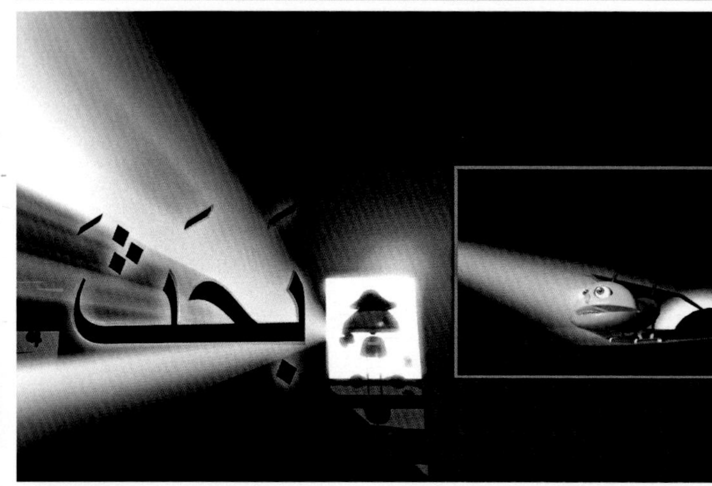

Imperative	Future	Present	Past	
	سَأَبْحَثُ	أَبْحَثُ	بَحَثْتُ	أنا
اِبْحَثْ	سَتَبْحَثُ	تَبْحَثُ	بَحَثْتَ	أنْتَ
اِبْحَثي	سَتَبْحَثينَ	تَبْحَثينَ	بَحَثْتِ	أنْتِ
اِبْحَثا	سَتَبْحَثانِ	تَبْحَثانِ	بَحَثْتُما	أنْتُما
اِبْحَثوا	سَتَبْحَثونَ	تَبْحَثونَ	بَحَثْتُمْ	أنْتُمْ
اِبْحَثْنَ	سَتَبْحَثْنَ	تَبْحَثْنَ	بَحَثْتُنَّ	أنْتُنَّ
	سَنَبْحَثُ	نَبْحَثُ	بَحَثْنا	نَحْنُ
	سَيَبْحَثُ	يَبْحَثُ	بَحَثَ	هُوَ
	سَتَبْحَثُ	تَبْحَثُ	بَحَثَتْ	هِيَ
	سَيَبْحَثانِ	يَبْحَثانِ	بَحَثا	هُما
	سَتَبْحَثانِ	تَبْحَثانِ	بَحَثَتا	هُما
	سَيَبْحَثونَ	يَبْحَثونَ	بَحَثوا	هُمْ
	سَيَبْحَثْنَ	يَبْحَثْنَ	بَحَثْنَ	هُنَّ

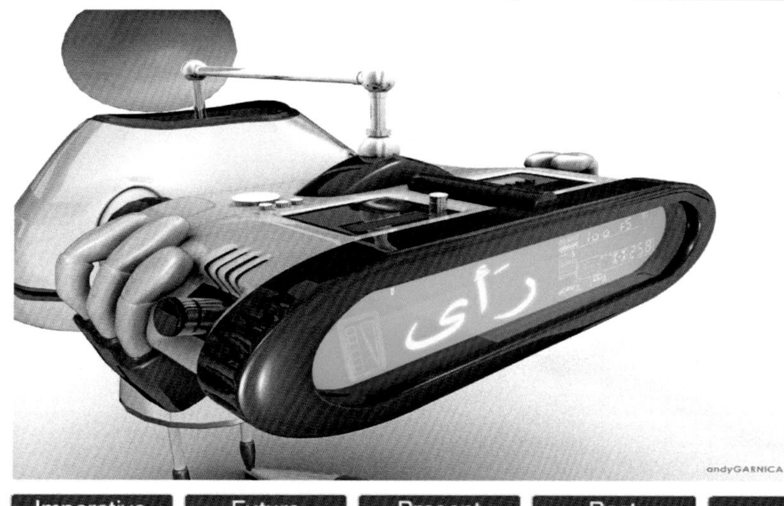

Imperative	Future	Present	Past	
	سَأَرى	أرى	رَأَيْتُ	أنا
رَ	سَتَرى	تَرى	رَأَيْتَ	أنْتَ
رَي	سَتَرَيْنَ	تَرَيْنَ	رَأَيْتِ	أنْتِ
رَيا	سَتَرَيانِ	تَرَيانِ	رَأَيْتُما	أنْتُما
رَوا	سَتَرَوْنَ	تَرَوْنَ	رَأَيْتُمْ	أنْتُمْ
رَيْنَ	سَتَرَيْنَ	تَرَيْنَ	رَأَيْتُنَّ	أنْتُنَّ
	سَنَرى	نَرى	رَأَيْنا	نَحْنُ
	سَيَرى	يَرى	رَأى	هُوَ
	سَتَرى	تَرى	رَأَتْ	هِيَ
	سَيَرَيانِ	يَرَيانِ	رَأَيا	هُما
	سَتَرَيانِ	تَرَيانِ	رَأَتا	هُما
	سَيَرَوْنَ	يَرَوْنَ	رَأَوا	هُمْ
	سَيَرَيْنَ	يَرَيْنَ	رَأَيْنَ	هُنَّ

Imperative	Future	Present	Past	
	سَأُفَرِّقُ	أُفَرِّقُ	فَرَّقْتُ	أنا
فَرِّقْ	سَتُفَرِّقُ	تُفَرِّقُ	فَرَّقْتَ	أنْتَ
فَرِّقي	سَتُفَرِّقينَ	تُفَرِّقينَ	فَرَّقْتِ	أنْتِ
فَرِّقا	سَتُفَرِّقانِ	تُفَرِّقانِ	فَرَّقْتُما	أنْتُما
فَرِّقوا	سَتُفَرِّقونَ	تُفَرِّقونَ	فَرَّقْتُمْ	أنْتُمْ
فَرِّقْنَ	سَتُفَرِّقْنَ	تُفَرِّقْنَ	فَرَّقْتُنَّ	أنْتُنَّ
	سَنُفَرِّقُ	نُفَرِّقُ	فَرَّقْنا	نَحْنُ
	سَيُفَرِّقُ	يُفَرِّقُ	فَرَّقَ	هُوَ
	سَتُفَرِّقُ	تُفَرِّقُ	فَرَّقَتْ	هِيَ
	سَيُفَرِّقانِ	يُفَرِّقانِ	فَرَّقا	هُما
	سَتُفَرِّقانِ	تُفَرِّقانِ	فَرَّقَتا	هُما
	سَيُفَرِّقونَ	يُفَرِّقونَ	فَرَّقوا	هُمْ
	سَيُفَرِّقْنَ	يُفَرِّقْنَ	فَرَّقْنَ	هُنَّ

Imperative	Future	Present	Past	
	سَأَعْرِضُ	أَعْرِضُ	عَرَضْتُ	أنا
إعْرِضْ	سَتَعْرِضُ	تَعْرِضُ	عَرَضْتَ	أَنْتَ
إعْرِضي	سَتَعْرِضينَ	تَعْرِضينَ	عَرَضْتِ	أَنْتِ
إعْرِضا	سَتَعْرِضانِ	تَعْرِضانِ	عَرَضْتُما	أَنْتُما
إعْرِضوا	سَتَعْرِضونَ	تَعْرِضونَ	عَرَضْتُمْ	أَنْتُمْ
إعْرِضْنَ	سَتَعْرِضْنَ	تَعْرِضْنَ	عَرَضْتُنَّ	أَنْتُنَّ
	سَنَعْرِضُ	نَعْرِضُ	عَرَضْنا	نَحْنُ
	سَيَعْرِضُ	يَعْرِضُ	عَرَضَ	هُوَ
	سَتَعْرِضُ	تَعْرِضُ	عَرَضَتْ	هِيَ
	سَيَعْرِضانِ	يَعْرِضانِ	عَرَضا	هُما
	سَتَعْرِضانِ	تَعْرِضانِ	عَرَضَتا	هُما
	سَيَعْرِضونَ	يَعْرِضونَ	عَرَضوا	هُمْ
	سَيَعْرِضْنَ	يَعْرِضْنَ	عَرَضْنَ	هُنَّ

Imperative	Future	Present	Past	
	سَأَسْتَحِمُّ	أَسْتَحِمُّ	اِسْتَحْمَمْتُ	أنا
اِسْتَحْمِمْ	سَتَسْتَحِمُّ	تَسْتَحِمُّ	اِسْتَحْمَمْتَ	أنْتَ
اِسْتَحِمِّي	سَتَسْتَحِمِّينَ	تَسْتَحِمِّينَ	اِسْتَحْمَمْتِ	أنْتِ
اِسْتَحِمَّا	سَتَسْتَحِمَّانِ	تَسْتَحِمَّانِ	اِسْتَحْمَمْتُما	أنْتُما
اِسْتَحِمُّوا	سَتَسْتَحِمُّونَ	تَسْتَحِمُّونَ	اِسْتَحْمَمْتُمْ	أنْتُمْ
اِسْتَحْمِمْنَ	سَتَسْتَحْمِمْنَ	تَسْتَحْمِمْنَ	اِسْتَحْمَمْتُنَّ	أنْتُنَّ
	سَنَسْتَحِمُّ	نَسْتَحِمُّ	اِسْتَحْمَمْنا	نَحْنُ
	سَيَسْتَحِمُّ	يَسْتَحِمُّ	اِسْتَحَمَّ	هُوَ
	سَتَسْتَحِمُّ	تَسْتَحِمُّ	اِسْتَحَمَّتْ	هِيَ
	سَيَسْتَحِمَّانِ	يَسْتَحِمَّانِ	اِسْتَحَمَّا	هُما
	سَتَسْتَحِمَّانِ	تَسْتَحِمَّانِ	اِسْتَحَمَّتا	هُما
	سَيَسْتَحِمُّونَ	يَسْتَحِمُّونَ	اِسْتَحَمُّوا	هُمْ
	سَيَسْتَحْمِمْنَ	يَسْتَحْمِمْنَ	اِسْتَحْمَمْنَ	هُنَّ

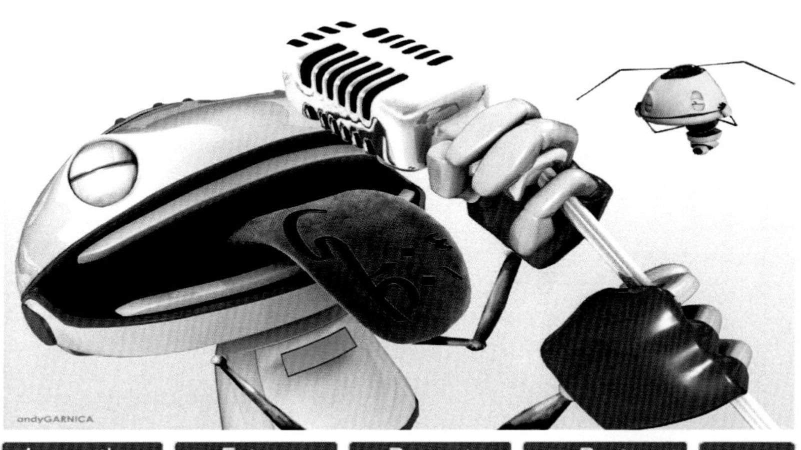

Imperative	Future	Present	Past	
	سَأُغَنِّي	أُغَنِّي	غَنَّيْتُ	أنا
غَنِّ	سَتُغَنِّي	تُغَنِّي	غَنَّيْتَ	أَنْتَ
غَنِّي	سَتُغَنِّينَ	تُغَنِّينَ	غَنَّيْتِ	أَنْتِ
غَنِّيا	سَتُغَنِّيانِ	تُغَنِّيانِ	غَنَّيْتُما	أَنْتُما
غَنُّوا	سَتُغَنُّونَ	تُغَنُّونَ	غَنَّيْتُمْ	أَنْتُمْ
غَنِّينَ	سَتُغَنِّينَ	تُغَنِّينَ	غَنَّيْتُنَّ	أَنْتُنَّ
	سَنُغَنِّي	نُغَنِّي	غَنَّيْنا	نَحْنُ
	سَيُغَنِّي	يُغَنِّي	غَنَّى	هُوَ
	سَتُغَنِّي	تُغَنِّي	غَنَّتْ	هِيَ
	سَيُغَنِّيانِ	يُغَنِّيانِ	غَنَّيا	هُما
	سَتُغَنِّيانِ	تُغَنِّيانِ	غَنَّتا	هُما
	سَيُغَنُّونَ	يُغَنُّونَ	غَنُّوا	هُمْ
	سَيُغَنِّينَ	يُغَنِّينَ	غَنَّيْنَ	هُنَّ

Imperative	Future	Present	Past	
	سَأَجْلِسُ	أَجْلِسُ	جَلَسْتُ	أنا
اِجْلِسْ	سَتَجْلِسُ	تَجْلِسُ	جَلَسْتَ	أَنْتَ
اِجْلِسي	سَتَجْلِسينَ	تَجْلِسينَ	جَلَسْتِ	أَنْتِ
اِجْلِسا	سَتَجْلِسانِ	تَجْلِسانِ	جَلَسْتُما	أَنْتُما
اِجْلِسوا	سَتَجْلِسونَ	تَجْلِسونَ	جَلَسْتُمْ	أَنْتُمْ
اِجْلِسْنَ	سَتَجْلِسْنَ	تَجْلِسْنَ	جَلَسْتُنَّ	أَنْتُنَّ
	سَنَجْلِسُ	نَجْلِسُ	جَلَسْنا	نَحْنُ
	سَيَجْلِسُ	يَجْلِسُ	جَلَسَ	هُوَ
	سَتَجْلِسُ	تَجْلِسُ	جَلَسَتْ	هِيَ
	سَيَجْلِسانِ	يَجْلِسانِ	جَلَسا	هُما
	سَتَجْلِسانِ	تَجْلِسانِ	جَلَسَتا	هُما
	سَيَجْلِسونَ	يَجْلِسونَ	جَلَسوا	هُمْ
	سَيَجْلِسْنَ	يَجْلِسْنَ	جَلَسْنَ	هُنَّ

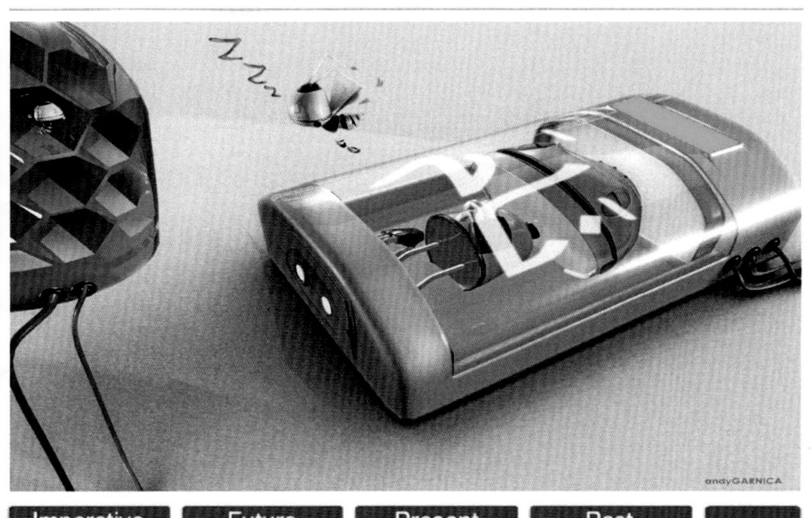

Imperative	Future	Present	Past	
	سَأنامُ	أنامُ	نِمْتُ	أنا
نَمْ	سَتَنامُ	تَنامُ	نِمْتَ	أنْتَ
نامي	سَتَنامينَ	تَنامينَ	نِمْتِ	أنْتِ
ناما	سَتَنامانِ	تَنامانِ	نِمْتُما	أنْتُما
ناموا	سَتَنامونَ	تَنامونَ	نِمْتُمْ	أنْتُمْ
نَمْنَ	سَتَنَمْنَ	تَنَمْنَ	نِمْتُنَّ	أنْتُنَّ
	سَنَنامُ	نَنامُ	نِمْنا	نَحْنُ
	سَيَنامُ	يَنامُ	نامَ	هُوَ
	سَتَنامُ	تَنامُ	نامَتْ	هِيَ
	سَيَنامانِ	يَنامانِ	ناما	هُما
	سَتَنامانِ	تَنامانِ	نامَتا	هُما
	سَيَناموا	يَناموا	ناموا	هُمْ
	سَيَنَمْنَ	يَنَمْنَ	نِمْنَ	هُنَّ

Imperative	Future	Present	Past	
	سَأَبْدَأُ	أَبْدَأُ	بَدَأْتُ	أنا
إِبْدَأْ	سَتَبْدَأُ	تَبْدَأُ	بَدَأْتَ	أَنْتَ
إِبْدَئي	سَتَبْدَئينَ	تَبْدَئينَ	بَدَأْتِ	أَنْتِ
إِبْدَآ	سَتَبْدَآنِ	تَبْدَآنِ	بَدَأْتُما	أَنْتُما
إِبْدَؤوا	سَتَبْدَؤونَ	تَبْدَؤونَ	بَدَأْتُمْ	أَنْتُمْ
إِبْدَأْنَ	سَتَبْدَأْنَ	تَبْدَأْنَ	بَدَأْتُنَّ	أَنْتُنَّ
	سَنَبْدَأُ	نَبْدَأُ	بَدَأْنا	نَحْنُ
	سَيَبْدَأُ	يَبْدَأُ	بَدَأَ	هُوَ
	سَتَبْدَأُ	تَبْدَأُ	بَدَأَتْ	هِيَ
	سَيَبْدَآنِ	يَبْدَآنِ	بَدَآ	هُما
	سَتَبْدَآنِ	تَبْدَآنِ	بَدَأَتا	هُما
	سَيَبْدَؤونَ	يَبْدَؤونَ	بَدَؤوا	هُمْ
	سَيَبْدَأْنَ	يَبْدَأْنَ	بَدَأْنَ	هُنَّ

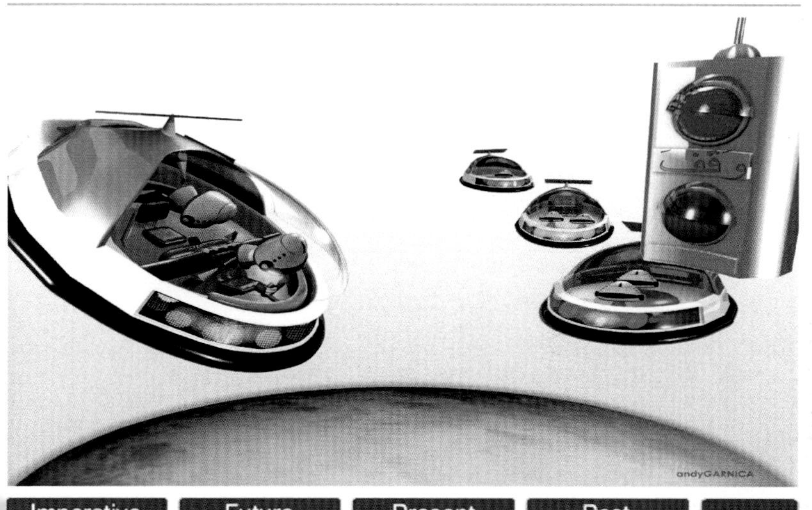

	Past	Present	Future	Imperative
أنا	وَقَفْتُ	أقِفُ	سأقِفُ	
أنْتَ	وَقَفْتَ	تَقِفُ	ستَقِفُ	قِفْ
أنْتِ	وَقَفْتِ	تَقِفينَ	ستَقِفينَ	قِفي
أنْتُما	وَقَفْتُما	تَقِفانِ	ستَقِفانِ	قِفا
أنْتُمْ	وَقَفْتُمْ	تَقِفونَ	ستَقِفونَ	قِفوا
أنْتُنَّ	وَقَفْتُنَّ	تَقِفْنَ	ستَقِفْنَ	قِفْنَ
نَحْنُ	وَقَفْنا	نَقِفُ	سنَقِفُ	
هُوَ	وَقَفَ	يَقِفُ	سيَقِفُ	
هِيَ	وَقَفَتْ	تَقِفُ	ستَقِفُ	
هُما	وَقَفا	يَقِفانِ	سيَقِفانِ	
هُما	وَقَفَتا	تَقِفانِ	ستَقِفانِ	
هُمْ	وَقَفوا	يَقِفونَ	سيَقِفونَ	
هُنَّ	وَقَفْنَ	يَقِفْنَ	سيَقِفْنَ	

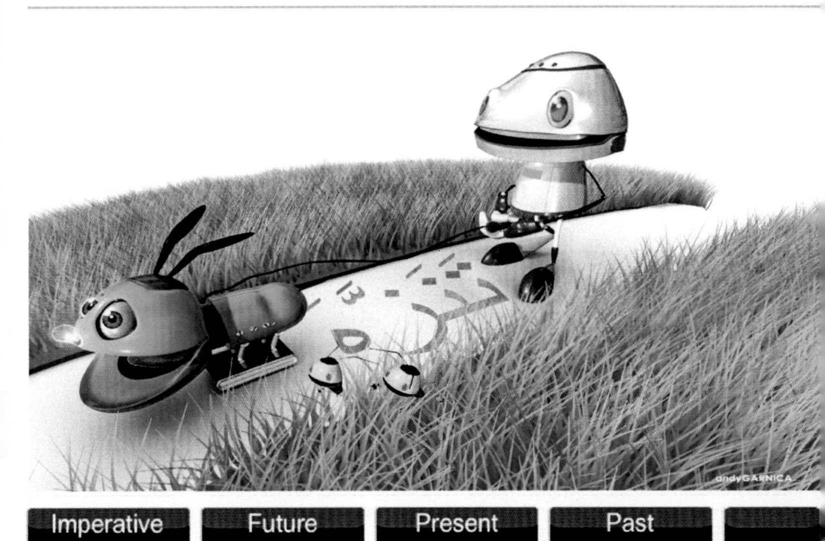

Imperative	Future	Present	Past	
	سَأَتَنَزَّهُ	أَتَنَزَّهُ	تَنَزَّهْتُ	أنا
تَنَزَّهْ	سَتَتَنَزَّهُ	تَتَنَزَّهُ	تَنَزَّهْتَ	أَنْتَ
تَنَزَّهِي	سَتَتَنَزَّهِينَ	تَتَنَزَّهِينَ	تَنَزَّهْتِ	أَنْتِ
تَنَزَّهَا	سَتَتَنَزَّهَانِ	تَتَنَزَّهَانِ	تَنَزَّهْتُمَا	أَنْتُمَا
تَنَزَّهُوا	سَتَتَنَزَّهُونَ	تَتَنَزَّهُونَ	تَنَزَّهْتُمْ	أَنْتُمْ
تَنَزَّهْنَ	سَتَتَنَزَّهْنَ	تَتَنَزَّهْنَ	تَنَزَّهْتُنَّ	أَنْتُنَّ
	سَنَتَنَزَّهُ	نَتَنَزَّهُ	تَنَزَّهْنَا	نَحْنُ
	سَيَتَنَزَّهُ	يَتَنَزَّهُ	تَنَزَّهَ	هُوَ
	سَتَتَنَزَّهُ	تَتَنَزَّهُ	تَنَزَّهَتْ	هِيَ
	سَيَتَنَزَّهَانِ	يَتَنَزَّهَانِ	تَنَزَّهَا	هُمَا
	سَتَتَنَزَّهَانِ	تَتَنَزَّهَانِ	تَنَزَّهَتَا	هُمَا
	سَيَتَنَزَّهُونَ	يَتَنَزَّهُونَ	تَنَزَّهُوا	هُمْ
	سَيَتَنَزَّهْنَ	يَتَنَزَّهْنَ	تَنَزَّهْنَ	هُنَّ

Imperative	Future	Present	Past	
	سَأَدْرُسُ	أَدْرُسُ	دَرَسْتُ	أنا
أُدْرُسْ	سَتَدْرُسُ	تَدْرُسُ	دَرَسْتَ	أنْتَ
أُدْرُسِي	سَتَدْرُسِينَ	تَدْرُسِينَ	دَرَسْتِ	أنْتِ
أُدْرُسَا	سَتَدْرُسَانِ	تَدْرُسَانِ	دَرَسْتُمَا	أنْتُمَا
أُدْرُسُوا	سَتَدْرُسُونَ	تَدْرُسُونَ	دَرَسْتُمْ	أنْتُمْ
أُدْرُسْنَ	سَتَدْرُسْنَ	تَدْرُسْنَ	دَرَسْتُنَّ	أنْتُنَّ
	سَنَدْرُسُ	نَدْرُسُ	دَرَسْنَا	نَحْنُ
	سَيَدْرُسُ	يَدْرُسُ	دَرَسَ	هُوَ
	سَتَدْرُسُ	تَدْرُسُ	دَرَسَتْ	هِيَ
	سَيَدْرُسَانِ	يَدْرُسَانِ	دَرَسَا	هُمَا
	سَتَدْرُسَانِ	تَدْرُسَانِ	دَرَسَتَا	هُمَا
	سَيَدْرُسُونَ	يَدْرُسُونَ	دَرَسُوا	هُمْ
	سَيَدْرُسْنَ	يَدْرُسْنَ	دَرَسْنَ	هُنَّ

Imperative	Future	Present	Past	
	سَأَسْبَحُ	أَسْبَحُ	سَبَحْتُ	أنا
اِسْبَحْ	سَتَسْبَحُ	تَسْبَحُ	سَبَحْتَ	أنْتَ
اِسْبَحِي	سَتَسْبَحِينَ	تَسْبَحِينَ	سَبَحْتِ	أنْتِ
اِسْبَحَا	سَتَسْبَحانِ	تَسْبَحانِ	سَبَحْتُما	أنْتُما
اِسْبَحُوا	سَتَسْبَحُونَ	تَسْبَحُونَ	سَبَحْتُمْ	أنْتُمْ
اِسْبَحْنَ	سَتَسْبَحْنَ	تَسْبَحْنَ	سَبَحْتُنَّ	أنْتُنَّ
	سَنَسْبَحُ	نَسْبَحُ	سَبَحْنا	نَحْنُ
	سَيَسْبَحُ	يَسْبَحُ	سَبَحَ	هُوَ
	سَتَسْبَحُ	تَسْبَحُ	سَبَحَتْ	هِيَ
	سَيَسْبَحانِ	يَسْبَحانِ	سَبَحا	هُما
	سَتَسْبَحانِ	تَسْبَحانِ	سَبَحَتا	هُما
	سَيَسْبَحُونَ	يَسْبَحُونَ	سَبَحُوا	هُمْ
	سَيَسْبَحْنَ	يَسْبَحْنَ	سَبَحْنَ	هُنَّ

Imperative	Future	Present	Past	
	سَأَتَكَلَّمُ	أَتَكَلَّمُ	تَكَلَّمْتُ	أنا
تَكَلَّمْ	سَتَتَكَلَّمُ	تَتَكَلَّمُ	تَكَلَّمْتَ	أنْتَ
تَكَلَّمِي	سَتَتَكَلَّمِينَ	تَتَكَلَّمِينَ	تَكَلَّمْتِ	أنْتِ
تَكَلَّمَا	سَتَتَكَلَّمَانِ	تَتَكَلَّمَانِ	تَكَلَّمْتُمَا	أنْتُما
تَكَلَّمُوا	سَتَتَكَلَّمُونَ	تَتَكَلَّمُونَ	تَكَلَّمْتُمْ	أنْتُمْ
تَكَلَّمْنَ	سَتَتَكَلَّمْنَ	تَتَكَلَّمْنَ	تَكَلَّمْتُنَّ	أنْتُنَّ
	سَنَتَكَلَّمُ	نَتَكَلَّمُ	تَكَلَّمْنَا	نَحْنُ
	سَيَتَكَلَّمُ	يَتَكَلَّمُ	تَكَلَّمَ	هُوَ
	سَتَتَكَلَّمُ	تَتَكَلَّمُ	تَكَلَّمَتْ	هِيَ
	سَيَتَكَلَّمَانِ	يَتَكَلَّمَانِ	تَكَلَّمَا	هُما
	سَتَتَكَلَّمَانِ	تَتَكَلَّمَانِ	تَكَلَّمَتَا	هُما
	سَيَتَكَلَّمُونَ	يَتَكَلَّمُونَ	تَكَلَّمُوا	هُمْ
	سَيَتَكَلَّمْنَ	يَتَكَلَّمْنَ	تَكَلَّمْنَ	هُنَّ

Imperative	Future	Present	Past	
	سَأَمْتَحِنُ	أمْتَحِنُ	إمْتَحَنْتُ	أنا
إمْتَحَنْ	سَتَمْتَحِنُ	تَمْتَحِنُ	إمْتَحَنْتَ	أنْتَ
إمْتَحَنِي	سَتَمْتَحِنِينَ	تَمْتَحِنِينَ	إمْتَحَنْتِ	أنْتِ
إمْتَحَنا	سَتَمْتَحِنانِ	تَمْتَحِنانِ	إمْتَحَنْتُما	أنْتُما
إمْتَحَنوا	سَتَمْتَحِنونَ	تَمْتَحِنونَ	إمْتَحَنْتُمْ	أنْتُمْ
إمْتَحَنَّ	سَتَمْتَحِنَّ	تَمْتَحِنَّ	إمْتَحَنْتُنَّ	أنْتُنَّ
	سَنَمْتَحِنُ	نَمْتَحِنُ	إمْتَحَنّا	نَحْنُ
	سَيَمْتَحِنُ	يَمْتَحِنُ	إمْتَحَنَ	هُوَ
	سَتَمْتَحِنُ	تَمْتَحِنُ	إمْتَحَنَتْ	هِيَ
	سَيَمْتَحِنانِ	يَمْتَحِنانِ	إمْتَحَنَا	هُما
	سَتَمْتَحِنانِ	تَمْتَحِنانِ	إمْتَحَنَتا	هُما
	سَيَمْتَحِنونَ	يَمْتَحِنونَ	إمْتَحَنوا	هُمْ
	سَيَمْتَحِنَّ	يَمْتَحِنَّ	إمْتَحَنَّ	هُنَّ

Imperative	Future	Present	Past	
	سَأُفَكِّرُ	أُفَكِّرُ	فَكَّرْتُ	أنا
فَكِّرْ	سَتُفَكِّرُ	تُفَكِّرُ	فَكَّرْتَ	أَنْتَ
فَكِّرِي	سَتُفَكِّرِينَ	تُفَكِّرِينَ	فَكَّرْتِ	أَنْتِ
فَكِّرا	سَتُفَكِّرانِ	تُفَكِّرانِ	فَكَّرْتُما	أَنْتُما
فَكِّروا	سَتُفَكِّرونَ	تُفَكِّرونَ	فَكَّرْتُمْ	أَنْتُمْ
فَكِّرْنَ	سَتُفَكِّرْنَ	تُفَكِّرْنَ	فَكَّرْتُنَّ	أَنْتُنَّ
	سَنُفَكِّرُ	نُفَكِّرُ	فَكَّرْنا	نَحْنُ
	سَيُفَكِّرُ	يُفَكِّرُ	فَكَّرَ	هُوَ
	سَتُفَكِّرُ	تُفَكِّرُ	فَكَّرَتْ	هِيَ
	سَيُفَكِّرانِ	يُفَكِّرانِ	فَكَّرَا	هُما
	سَتُفَكِّرانِ	تُفَكِّرانِ	فَكَّرَتا	هُما
	سَيُفَكِّرونَ	يُفَكِّرونَ	فَكَّروا	هُمْ
	سَيُفَكِّرْنَ	يُفَكِّرْنَ	فَكَّرْنَ	هُنَّ

Imperative	Future	Present	Past	
	سَأُسافِرُ	أُسافِرُ	سافرْتُ	أنا
سافِرْ	سَتُسافِرُ	تُسافِرُ	سافرْتَ	أنْتَ
سافِري	سَتُسافِرينَ	تُسافِرينَ	سافرْتِ	أنْتِ
سافِرا	سَتُسافِرانِ	تُسافِرانِ	سافرْتُما	أنْتُما
سافِروا	سَتُسافِرونَ	تُسافِرونَ	سافرْتُمْ	أنْتُمْ
سافِرْنَ	سَتُسافِرْنَ	تُسافِرْنَ	سافرْتُنّ	أنْتُنّ
	سَنُسافِرُ	نُسافِرُ	سافرْنا	نَحْنُ
	سَيُسافِرُ	يُسافِرُ	سافرَ	هُوَ
	سَتُسافِرُ	تُسافِرُ	سافرَتْ	هِيَ
	سَيُسافِرانِ	يُسافِرانِ	سافرا	هُما
	سَتُسافِرانِ	تُسافِرانِ	سافرَتا	هُما
	سَيُسافِرونَ	يُسافِرونَ	سافروا	هُمْ
	سَيُسافِرْنَ	يُسافِرْنَ	سافرْنَ	هُنَّ

andyGARNICA

Imperative	Future	Present	Past	
	سَأعْثِرُ	أعْثِرُ	عَثَرْتُ	أنا
اِعْثِرْ	سَتَعْثِرُ	تَعْثِرُ	عَثَرْتَ	أنْتَ
اِعْثِرِي	سَتَعْثِرِينَ	تَعْثِرِينَ	عَثَرْتِ	أنْتِ
اِعْثِرا	سَتَعْثِرانِ	تَعْثِرانِ	عَثَرْتُما	أنْتُما
اِعْثِرُوا	سَتَعْثِرُونَ	تَعْثِرُونَ	عَثَرْتُمْ	أنْتُمْ
اِعْثِرْنَ	سَتَعْثِرْنَ	تَعْثِرْنَ	عَثَرْتُنَّ	أنْتُنَّ
	سَنَعْثِرُ	نَعْثِرُ	عَثَرْنا	نَحْنُ
	سَيَعْثِرُ	يَعْثِرُ	عَثَرَ	هُوَ
	سَتَعْثِرُ	تَعْثِرُ	عَثَرَتْ	هِيَ
	سَيَعْثِرانِ	يَعْثِرانِ	عَثَرا	هُما
	سَتَعْثِرانِ	تَعْثِرانِ	عَثَرَتا	هُما
	سَيَعْثِرُونَ	يَعْثِرُونَ	عَثَرُوا	هُمْ
	سَيَعْثِرْنَ	يَعْثِرْنَ	عَثَرْنَ	هُنَّ

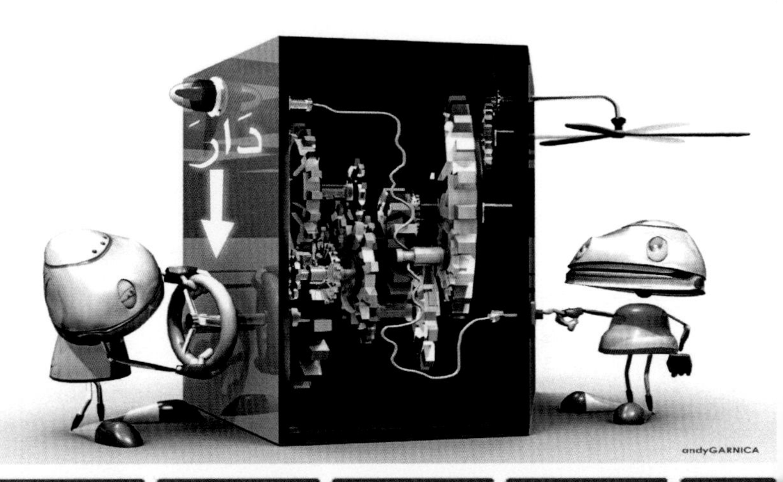

Imperative	Future	Present	Past	
	سَأدورُ	أدورُ	دُرْتُ	أنا
دُرْ	سَتَدورُ	تَدورُ	دُرْتَ	أنْتَ
دوري	سَتَدورينَ	تَدورينَ	دُرْتِ	أنْتِ
دورا	سَتَدورانِ	تَدورانِ	دُرْتُما	أنْتُما
دوروا	سَتَدورونَ	تَدورونَ	دُرْتُمْ	أنْتُمْ
دُرْنَ	سَتَدُرْنَ	تَدُرْنَ	دُرْتُنَّ	أنْتُنَّ
	سَنَدورُ	نَدورُ	دُرْنا	نَحْنُ
	سَيَدورُ	يَدورُ	دارَ	هُوَ
	سَتَدورُ	تَدورُ	دارَتْ	هِيَ
	سَيَدورانِ	يَدورانِ	دارا	هُما
	سَتَدورانِ	تَدورانِ	دارَتا	هُما
	سَيَدورونَ	يَدورونَ	داروا	هُمْ
	سَيَدورْنَ	يَدورْنَ	دُرْنَ	هُنَّ

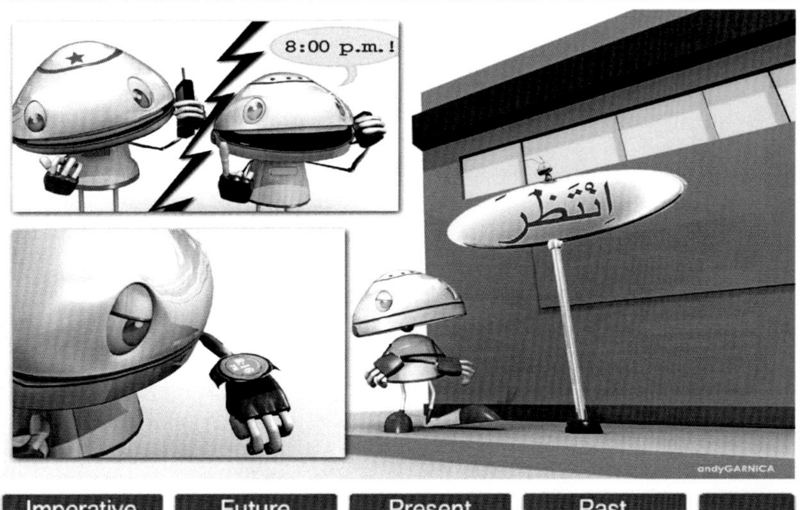

Imperative	Future	Present	Past	
	سَأنْتَظِرُ	أنْتَظِرُ	إنْتَظَرْتُ	أنا
اِنْتَظِرْ	سَتَنْتَظِرُ	تَنْتَظِرُ	إنْتَظَرْتَ	أنْتَ
اِنْتَظِري	سَتَنْتَظِرينَ	تَنْتَظِرينَ	إنْتَظَرْتِ	أنْتِ
اِنْتَظِرا	سَتَنْتَظِرانِ	تَنْتَظِرانِ	إنْتَظَرْتُما	أنْتُما
اِنْتَظِروا	سَتَنْتَظِرونَ	تَنْتَظِرونَ	إنْتَظَرْتُمْ	أنْتُمْ
اِنْتَظِرْنَ	سَتَنْتَظِرْنَ	تَنْتَظِرْنَ	إنْتَظَرْتُنَّ	أنْتُنَّ
	سَنَنْتَظِرُ	نَنْتَظِرُ	إنْتَظَرْنا	نَحْنُ
	سَيَنْتَظِرُ	يَنْتَظِرُ	إنْتَظَرَ	هُوَ
	سَتَنْتَظِرُ	تَنْتَظِرُ	إنْتَظَرَتْ	هِيَ
	سَيَنْتَظِرانِ	يَنْتَظِرانِ	إنْتَظَرا	هُما
	سَتَنْتَظِرانِ	تَنْتَظِرانِ	إنْتَظَرَتا	هُما
	سَيَنْتَظِرونَ	يَنْتَظِرونَ	إنْتَظَروا	هُمْ
	سَيَنْتَظِرْنَ	يَنْتَظِرْنَ	إنْتَظَرْنَ	هُنَّ

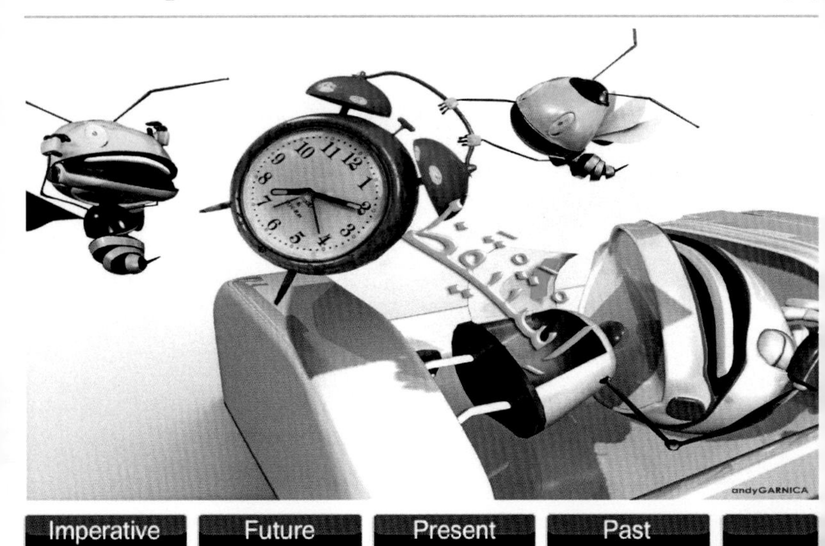

Imperative	Future	Present	Past	
	سَأَسْتَيْقَظُ	أَسْتَيْقَظُ	اِسْتَيْقَظْتُ	أَنَا
اِسْتَيْقِظْ	سَتَسْتَيْقَظُ	تَسْتَيْقَظُ	اِسْتَيْقَظْتَ	أَنْتَ
اِسْتَيْقِظِي	سَتَسْتَيْقَظِينَ	تَسْتَيْقَظِينَ	اِسْتَيْقَظْتِ	أَنْتِ
اِسْتَيْقِظَا	سَتَسْتَيْقَظَانِ	تَسْتَيْقَظَانِ	اِسْتَيْقَظْتُمَا	أَنْتُمَا
اِسْتَيْقِظُوا	سَتَسْتَيْقَظُونَ	تَسْتَيْقَظُونَ	اِسْتَيْقَظْتُمْ	أَنْتُمْ
اِسْتَيْقِظْنَ	سَتَسْتَيْقَظْنَ	تَسْتَيْقَظْنَ	اِسْتَيْقَظْتُنَّ	أَنْتُنَّ
	سَنَسْتَيْقَظُ	نَسْتَيْقَظُ	اِسْتَيْقَظْنَا	نَحْنُ
	سَيَسْتَيْقَظُ	يَسْتَيْقَظُ	اِسْتَيْقَظَ	هُوَ
	سَتَسْتَيْقَظُ	تَسْتَيْقَظُ	اِسْتَيْقَظَتْ	هِيَ
	سَيَسْتَيْقَظَانِ	يَسْتَيْقَظَانِ	اِسْتَيْقَظَا	هُمَا
	سَتَسْتَيْقَظَانِ	تَسْتَيْقَظَانِ	اِسْتَيْقَظَتَا	هُمَا
	سَيَسْتَيْقَظُونَ	يَسْتَيْقَظُونَ	اِسْتَيْقَظُوا	هُمْ
	سَيَسْتَيْقَظْنَ	يَسْتَيْقَظْنَ	اِسْتَيْقَظْنَ	هُنَّ

Imperative	Future	Present	Past	
	سَأمْشي	أمْشي	مَشَيْتُ	أنا
امْشِ	سَتَمْشي	تَمْشي	مَشَيْتَ	أنْتَ
امْشي	سَتَمْشينَ	تَمْشينَ	مَشَيْتِ	أنْتِ
امْشيا	سَتَمْشيانِ	تَمْشيانِ	مَشَيْتُما	أنْتُما
امْشوا	سَتَمْشونَ	تَمْشونَ	مَشَيْتُمْ	أنْتُمْ
امْشينَ	سَتَمْشينَ	تَمْشينَ	مَشَيْتُنَّ	أنْتُنَّ
	سَنَمْشي	نَمْشي	مَشَيْنا	نَحْنُ
	سَيَمْشي	يَمْشي	مَشَى	هُوَ
	سَتَمْشي	تَمْشي	مَشَتْ	هِيَ
	سَيَمْشيانِ	يَمْشيانِ	مَشَيا	هُما
	سَتَمْشيانِ	تَمْشيانِ	مَشَتا	هُما
	سَيَمْشونَ	يَمْشونَ	مَشَوا	هُمْ
	سَيَمْشينَ	يَمْشينَ	مَشَيْنَ	هُنَّ

Imperative	Future	Present	Past	
	سَأُريدُ	أُريدُ	أَرَدْتُ	أنا
أرِدْ	سَتُريدُ	تُريدُ	أَرَدْتَ	أنْتَ
أريدي	سَتُريدينَ	تُريدينَ	أَرَدْتِ	أنْتِ
أريدا	سَتُريدانِ	تُريدانِ	أَرَدْتُما	أنْتُما
أريدوا	سَتُريدونَ	تُريدونَ	أَرَدْتُمْ	أنْتُمْ
أرِدْنَ	سَتُردْنَ	تُردْنَ	أَرَدْتُنَّ	أنْتُنَّ
	سَنُريدُ	نُريدُ	أَرَدْنا	نَحْنُ
	سَيُريدُ	يُريدُ	أرادَ	هُوَ
	سَتُريدُ	تُريدُ	أرادَتْ	هِيَ
	سَيُريدانِ	يُريدانِ	أرادا	هُما
	سَتُريدانِ	تُريدانِ	أرادَتا	هُما
	سَيُريدونَ	يُريدونَ	أرادوا	هُمْ
	سَيُردْنَ	يُردْنَ	أرَدْنَ	هُنَّ

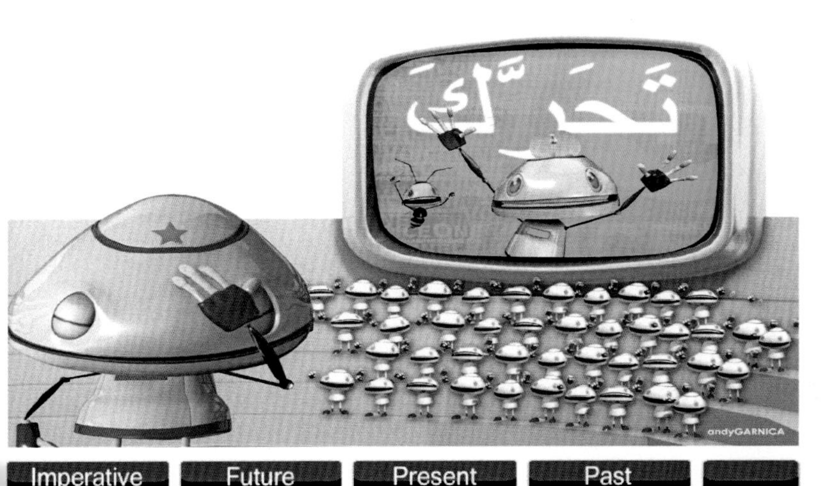

Imperative	Future	Present	Past	
	سَأَتَحَرَّكُ	أَتَحَرَّكُ	تَحَرَّكْتُ	أنا
تَحَرَّكْ	سَتَتَحَرَّكُ	تَتَحَرَّكُ	تَحَرَّكْتَ	أَنْتَ
تَحَرَّكِي	سَتَتَحَرَّكِينَ	تَتَحَرَّكِينَ	تَحَرَّكْتِ	أَنْتِ
تَحَرَّكَا	سَتَتَحَرَّكَانِ	تَتَحَرَّكَانِ	تَحَرَّكْتُمَا	أَنْتُمَا
تَحَرَّكُوا	سَتَتَحَرَّكُونَ	تَتَحَرَّكُونَ	تَحَرَّكْتُمْ	أَنْتُمْ
تَحَرَّكْنَ	سَتَتَحَرَّكْنَ	تَتَحَرَّكْنَ	تَحَرَّكْتُنَّ	أَنْتُنَّ
	سَنَتَحَرَّكُ	نَتَحَرَّكُ	تَحَرَّكْنَا	نَحْنُ
	سَيَتَحَرَّكُ	يَتَحَرَّكُ	تَحَرَّكَ	هُوَ
	سَتَتَحَرَّكُ	تَتَحَرَّكُ	تَحَرَّكَتْ	هِيَ
	سَيَتَحَرَّكَانِ	يَتَحَرَّكَانِ	تَحَرَّكَا	هُمَا
	سَتَتَحَرَّكَانِ	تَتَحَرَّكَانِ	تَحَرَّكَتَا	هُمَا
	سَيَتَحَرَّكُونَ	يَتَحَرَّكُونَ	تَحَرَّكُوا	هُمْ
	سَيَتَحَرَّكْنَ	يَتَحَرَّكْنَ	تَحَرَّكْنَ	هُنَّ

Imperative	Future	Present	Past	
	سَأُشاهِدُ	أُشاهِدُ	شاهَدْتُ	أنا
شاهِدْ	سَتُشاهِدُ	تُشاهِدُ	شاهَدْتَ	أنْتَ
شاهِدي	سَتُشاهِدينَ	تُشاهِدينَ	شاهَدْتِ	أنْتِ
شاهِدا	سَتُشاهِدانِ	تُشاهِدانِ	شاهَدْتُما	أنْتُما
شاهِدوا	سَتُشاهِدونَ	تُشاهِدونَ	شاهَدْتُمْ	أنْتُمْ
شاهِدْنَ	سَتُشاهِدْنَ	تُشاهِدْنَ	شاهَدْتُنَّ	أنْتُنَّ
	سَنُشاهِدُ	نُشاهِدُ	شاهَدْنا	نَحْنُ
	سَيُشاهِدُ	يُشاهِدُ	شاهَدَ	هُوَ
	سَتُشاهِدُ	تُشاهِدُ	شاهَدَتْ	هِيَ
	سَيُشاهِدانِ	يُشاهِدانِ	شاهَدا	هُما
	سَتُشاهِدانِ	تُشاهِدانِ	شاهَدَتا	هُما
	سَيُشاهِدونَ	يُشاهِدونَ	شاهَدوا	هُمْ
	سَيُشاهِدْنَ	يُشاهِدْنَ	شاهَدْنَ	هُنَّ

Imperative	Future	Present	Past	
	سَأفوزُ	أفوزُ	فُزْتُ	أنا
فُزْ	سَتَفوزُ	تَفوزُ	فُزْتَ	أنْتَ
فُوزي	سَتَفوزينَ	تَفوزينَ	فُزْتِ	أنْتِ
فُوزا	سَتَفوزانِ	تَفوزانِ	فُزْتُما	أنْتُما
فُوزوا	سَتَفوزونَ	تَفوزونَ	فُزْتُمْ	أنْتُمْ
فُزْنَ	سَتَفُزْنَ	تَفُزْنَ	فُزْتُنَّ	أنْتُنَّ
	سَنَفوزُ	نَفوزُ	فُزْنا	نَحْنُ
	سَيَفوزُ	يَفوزُ	فازَ	هُوَ
	سَتَفوزُ	تَفوزُ	فازَتْ	هِيَ
	سَيَفوزانِ	يَفوزانِ	فازا	هُما
	سَتَفوزانِ	تَفوزانِ	فازَتا	هُما
	سَيَفوزونَ	يَفوزونَ	فازوا	هُمْ
	سَيَفُزْنَ	يَفُزْنَ	فُزْنَ	هُنَّ

Imperative	Future	Present	Past	
	سَأَكْتُبُ	أَكْتُبُ	كَتَبْتُ	أنا
أُكْتُبْ	سَتَكْتُبُ	تَكْتُبُ	كَتَبْتَ	أَنْتَ
أُكْتُبِي	سَتَكْتُبِينَ	تَكْتُبِينَ	كَتَبْتِ	أَنْتِ
أُكْتُبَا	سَتَكْتُبَانِ	تَكْتُبَانِ	كَتَبْتُمَا	أَنْتُمَا
أُكْتُبُوا	سَتَكْتُبُونَ	تَكْتُبُونَ	كَتَبْتُمْ	أَنْتُمْ
أُكْتُبْنَ	سَتَكْتُبْنَ	تَكْتُبْنَ	كَتَبْتُنَّ	أَنْتُنَّ
	سَنَكْتُبُ	نَكْتُبُ	كَتَبْنَا	نَحْنُ
	سَيَكْتُبُ	يَكْتُبُ	كَتَبَ	هُوَ
	سَتَكْتُبُ	تَكْتُبُ	كَتَبَتْ	هِيَ
	سَيَكْتُبَانِ	يَكْتُبَانِ	كَتَبَا	هُمَا
	سَتَكْتُبَانِ	تَكْتُبَانِ	كَتَبَتَا	هُمَا
	سَيَكْتُبُونَ	يَكْتُبُونَ	كَتَبُوا	هُمْ
	سَيَكْتُبْنَ	يَكْتُبْنَ	كَتَبْنَ	هُنَّ

Index

English